D1113637

Pieux mensonges

MAILE MELOY

Pieux mensonges

traduit de l'anglais (États-Unis)
par Hélène Papot

LE GRAND LIVRE DU MOIS

L'édition originale de cet ouvrage est parue
chez Scribner en 2003,
sous le titre : *Liars and Saints.*

© Maile Meloy, 2003.

© Éditions de l'Olivier / Le Seuil
pour l'édition en langue française, 2006.

I

Le monde entier était devant eux,
Pour y choisir le lieu de leur repos,
Et la Providence était leur guide.
Main en main, à pas incertains et lents
Ils prirent à travers Éden leur chemin solitaire.

John Milton, *Paradis perdu*, chant XII

Ne t'assieds avec personne d'autre que moi sous le pommier.

Lew Brown, Theodore Tobias et Sam Stept, 1942

1

Ils s'étaient mariés pendant la guerre, un matin après la messe, dans la vieille église de la Mission à Santa Barbara. Teddy était solennel ; il prenait la cérémonie très au sérieux. Yvette, vêtue d'une simple robe ivoire et coiffée d'un chapeau à voilette, était troublée à l'idée de changer de vie et de nom, là, en Californie, et sans que ce soit son père qui la mène à l'autel. « Moi, Yvette Grenier, accepte de prendre pour époux Théodore Santerre... » Tout avait l'air formel et étrange, les mots semblaient prononcés par quelqu'un d'autre jusqu'à ce qu'elle se rende compte, étonnée, qu'il s'agissait d'elle.

Un mariage rapide, pour que Teddy puisse embarquer à nouveau. Deux jours plus tard, cependant, ils allaient à une soirée dansante au Beach Club et elle rencontrait le commandant de Teddy au bar.

— Vous ne pouvez pas abandonner cette jeune femme aussi vite, dit le commandant en regardant Yvette.

Elle portait la robe ivoire dans laquelle elle s'était mariée parce qu'il avait fallu du temps pour la faire et qu'elle ne comptait pas la porter qu'une seule fois. Elle savait qu'elle lui allait bien – elle faisait ressortir sa minceur et les ondulations de ses cheveux bruns sur ses épaules – et le regard du commandant la fit rougir.

– Mon commandant? dit Teddy.

Le commandant rit, serra une nouvelle fois la main de Teddy, le félicita pour son mariage et Teddy parvint alors à sourire.

Contrairement à ce qu'ils avaient cru, le commandant ne plaisantait pas. Il affecta Teddy à l'entraînement dans un escadron au sol, ce qui lui permit de passer quelques mois avec Yvette. Les marines installèrent le jeune couple au Biltmore, avec les autres officiers – les résidents avaient tous fui à l'intérieur du pays, de peur des bombardements – et ils couraient les cocktails et les thés dansants, et dormaient ensemble toutes les nuits. Lorsque Teddy partit combattre les Japonais, Yvette était enceinte de Margot.

Elle ne parla pas immédiatement du bébé à sa famille. Ils étaient loin, au Canada, le téléphone coûtait trop cher, et elle n'avait pas envie d'entendre leurs commentaires. Son père et ses frères avaient déclaré qu'elle était folle d'épouser cet aviateur – un Américain, en dépit d'un nom canadien, qui ne parlait pas français. Ils tireraient le diable par la queue avec sa solde de militaire, Teddy finirait par se faire tuer et elle se retrouverait en rade en Californie, sans le sou ou, pire encore, un bébé sur les bras. Yvette les jugeait injustes. Si elle avait écouté son père, elle n'aurait jamais quitté la maison et ça, pas question.

Pour essayer de comprendre pourquoi Teddy se retrouvait maintenant dans le Pacifique, en train de faire la guerre, elle avait tenté de lire l'horrible petit livre d'Hitler. Mais cette lecture l'exaspérait, elle ne voyait pas le rapport avec les Japonais, et elle abandonna. Elle était au comble du bonheur lorsque Teddy rentrait en permission, qu'ils pouvaient aller danser et rester éveillés toute la nuit, couchés dans le petit appartement où elle avait emménagé après le Biltmore. Au lieu de l'endormir, comme la plupart des gens, faire l'amour la rendait bavarde, disait Teddy en blaguant, mais il l'écoutait et l'observait dans le noir, en souriant. Parfois, il l'embrassait au milieu d'une phrase, tandis qu'elle racontait tout ce qu'elle avait emmagasiné pendant son absence.

Puis la guerre prit fin et Teddy rentra pour de bon. La petite Margot avait alors deux ans et Clarissa, le nouveau bébé, presque un. Teddy fut engagé par la North American, une société aéronautique qui vendait des pièces détachées et il fit construire une maison à Hermosa Beach grâce à un prêt accordé aux vétérans. Quand il ne supportait plus les cris du bébé, il poussait le berceau jusque sous l'auvent de la porte de service et ramenait Yvette au lit.

Ayant leur chez-eux, ils pouvaient recevoir et Yvette apprit à cuisiner à grande échelle : œufs façon John Wayne et bloody mary au brunch. Elle se confectionnait de nouvelles robes et ils organisaient des soirées dansantes à la maison. Les cocktails débutaient à cinq heures et on dansait jusqu'à deux ou trois heures du matin, jusqu'à ce qu'Yvette se mette à chanter « Those Wedding Bells are Breaking up That Old Gang of Mine ».

Pendant ces soirées, Teddy n'aimait guère la perdre de vue, mais c'était seulement parce qu'ils avaient été longtemps séparés. Yvette était heureuse. En tant que réserviste, Teddy pouvait voler une fois par mois, et il adorait ces week-ends passés à piloter. Sans compter que l'argent supplémentaire était utile avec les filles qui n'en finissaient pas de grandir et de ne plus rentrer dans les vêtements qu'Yvette venait à peine de terminer.

Lorsque Teddy fut rappelé pour partir en Corée, ils découvrirent l'erreur qu'il avait commise en devenant réserviste. Yvette, persuadée qu'il s'agissait d'un malentendu de la part de l'administration, refusa tout d'abord d'y croire. Teddy avait une famille – Margot avait sept ans, Clarissa six. Le visage de Clarissa était le reflet, en petit, de celui de son père, elle le suivait du regard dans la maison, le dévorant des yeux. Lorsque Teddy la surprenait ainsi, il riait, et elle aussi. Yvette ne pouvait admettre que les marines lui fassent reprendre du service. Pourtant, ce n'était pas un malentendu, et elle l'accompagna à la gare avec les filles.

Sur le quai, deux jeunes marines faisaient les pitres devant la foule et feignaient la tristesse aux fenêtres du train en disant :

– Non, non, ne nous emmenez pas, on ne veut pas partir.

Clarissa se mit à pleurer.

– Pourquoi on les emmène ? demanda-t-elle. Ils ne veulent pas partir !

Yvette expliqua que les deux hommes blaguaient, qu'ils *voulaient* partir mais Clarissa ne comprenait pas. Couchée par terre dans la Plymouth, elle hurla et pleura pendant tout le trajet du retour. La fureur du chagrin de Clarissa surprenait Yvette. Elle se dit que sa fille allait se rendre malade à force de crier si fort, par terre dans la voiture. Elle-même n'avait pas le temps de pleurer, trop absorbée par le désarroi de Clarissa.

Se retrouver seule à la maison, avec deux enfants, lui fut plus pénible qu'au début de son mariage, lorsque les autres épouses attendaient elles aussi leur mari. Les tâches étaient plus nombreuses, la solitude plus grande. Yvette ne pouvait pas recevoir et elle n'était pas invitée.

Une femme seule constituait un fardeau, un risque. Elle ne connaissait aucune des femmes dont le mari était en Corée ; elles étaient toutes plus jeunes qu'elle. Lorsque son unique amie, Rita, se maria, Yvette ne put assister à la cérémonie parce qu'elle avait lieu dans une église protestante. Rita souffrit de l'absence d'Yvette puis elle devint à son tour une épouse très occupée et elles cessèrent de se voir.

Un jour, alors que Teddy était encore en Corée, Yvette emmena Margot et Clarissa à la plage. Tandis que les filles jouaient dans l'eau, un homme vint s'asseoir près d'elle. Elle faillit lui demander de partir, mais il était poli et elle était en mal de conversation, alors ils parlèrent des filles. Il expliqua qu'il était photographe et offrit de prendre une photo d'elles trois pour son mari ; il pouvait bien faire cela, dit-il, pour un homme parti à la guerre. Il vint donc à la maison, avec un gros flash sous un parapluie et un appareil sur pied qu'il installa dans le salon. Yvette lui prépara un whisky-soda et elle s'en servit un aussi, puisque la bouteille de soda était ouverte. Elle avait l'estomac vide et l'alcool lui monta droit à la tête. C'était un samedi, à trois heures de l'après-midi, et elle avait habillé les filles pour l'occasion mais le photographe prenait son temps. Rasé de près, les cheveux courts et les yeux vert clair, il avait des allures de soldat, dans son pantalon kaki et sa chemise impeccable. Ils parlèrent de la situation en Corée et il lâcha une plaisanterie scabreuse sur les femmes mariées en temps de guerre. Il lui demanda un autre whisky et, tandis qu'elle le préparait, Clarissa entra et déclara tout de go qu'elle refusait de rester endimanchée une minute de plus. Le photographe les installa sur le sofa et régla le flash.

Clarissa était assise sur l'ottomane et Margot, derrière elle, avait les mains posées sur ses épaules. Clarissa détestait que sa sœur la touche et les boucles de ses cheveux se défaisaient. Yvette tira sur l'ourlet de la jupe de Clarissa afin de lui couvrir les genoux. Margot souriait sereinement, face à l'objectif, et chez elle, tout était bien en place. Yvette sentit que son sourire risquait de trahir son ébriété et elle pressa sa main contre ses lèvres pour tenter de le contenir sans toutefois étaler son rouge à lèvres. Puis elles firent ensemble un sourire et furent aveuglées par l'énorme éclair du flash.

Le photographe prit encore quelques clichés avant de déclarer qu'il pensait en avoir un bon, sans manifester pour autant la moindre intention de partir. Il but son verre et Yvette laissa sortir les filles. Elle lui demanda s'il voulait être payé, alors qu'elle n'était guère en fonds, ce qu'il refusa.

– Un homme qui a une aussi belle femme appréciera un souvenir d'elle, dit-il.

Yvette se taisait.

– Et d'aussi jolies petites filles, ajouta-t-il.

Yvette concéda qu'elles étaient charmantes. Puis le photographe devint sérieux.

– Vous êtes la plus belle femme que j'aie jamais vue.

Elle rit et s'efforça de combattre l'effet du whisky qui la faisait perpétuellement sourire et l'empêchait de se ressaisir et de le mettre dehors.

– Je travaille avec des mannequins, dit-il, toujours grave. Je connais de très belles femmes. Chez vous, la beauté a un éclat particulier, elle vient de l'intérieur.

Elle avait envie de lui expliquer que l'éclat particulier était dû au whisky mais elle ne voulait pas donner l'impression de chercher à flirter. Elle pensa à son père, qui refusait que sa mère fasse des courses sans emmener Yvette au cas où elle rencontrerait des hommes. Cependant son père n'avait jamais connu de guerres, seulement la crise de 1929 et une famille soumise à des restrictions dans une maison plus petite. Or Teddy était à nouveau parti et cet homme bizarre, lui, ne partait pas.

Yvette se leva de sa chaise pour signifier au photographe qu'il devait s'en aller. Il passa alors un bras autour de sa taille et pressa ses lèvres contre les siennes. Il l'embrassa avec tant de fougue que lorsqu'elle parvint à se dégager, elle avait une entaille à la lèvre. Elle le renvoya, avec son appareil et son flash, et fit une chose qu'elle n'avait jamais faite en tant qu'hôtesse : refermer la porte sans attendre qu'il ait atteint le trottoir. Puis elle rouvrit pour voir où étaient les filles et aperçut le photographe, écarlate et rageur, monter dans sa voiture et démarrer.

Elle ne savait pas comment raconter à Teddy ce qui s'était passé. Elle essaya en vain de lui écrire, les mots ne venaient pas, elle déchirait les lettres et les recommençait.

Le photographe apporta les tirages alors qu'Yvette était seule à la maison et elle se contenta d'entrouvrir la porte. Il fit comme si de rien n'était mais elle resta distante. Elle lui demanda de glisser l'enveloppe dans l'entrebâillement de la porte. Il semblait préférable de prendre les photos pour qu'elles ne circulent pas ailleurs. Pendant toute la semaine, elle avait rougi en y pensant.

— Je vais vous faire un chèque, dit-elle quand il lui eut passé l'enveloppe.

— Je ne...

Elle referma la porte à clé, trouva son portefeuille et fouilla à l'intérieur en sentant son cœur battre dans sa poitrine. Le nom de Teddy était imprimé sur les chèques, à côté du sien. Elle n'avait pas la moindre idée de ce qu'elle devait donner à l'homme. Dix dollars? Elle rédigea un chèque de quinze dollars.

— Je ne veux pas de chèque, annonça-t-il lorsqu'elle rouvrit la porte.

Il avait gardé la même position, une main appuyée sur le chambranle. Elle se dit qu'il essayait de paraître

17

décontracté alors qu'il y avait de la colère dans sa voix et qu'il ignorait le chèque qu'elle lui tendait.

— J'ai voulu vous faire plaisir, c'est tout, dit-il. Faire quelque chose pour vous.

— Merci, répondit-elle.

— Je ne suis pas un mauvais gars. J'ai cru qu'on pourrait se rendre la vie un peu plus agréable, rien d'autre. Ça ne m'arrive pas tous les jours, vous savez.

— Je suis mariée, dit-elle en refermant lentement la porte mais il posa sa main à plat contre le battant.

— Je voudrais savoir quelque chose, dit-il. C'est vraiment parce que vous êtes mariée, ou bien c'est à cause de moi ?

Elle ferma la porte malgré la pression de sa main, mit le verrou et la chaîne. Adossée à la porte, elle sentait les battements de son cœur ralentir. L'empreinte humide de ses doigts se voyait sur le rabat de l'enveloppe, lorsqu'elle l'ouvrit. Les photos étaient bonnes, tirées sur du papier épais. Et les filles, pareilles à elles-mêmes : Clarissa, un désastre, et Margot, une parfaite petite nonne. Malgré son sourire démesuré et ses yeux écarquillés, on ne devinait pas forcément qu'Yvette avait bu un whisky en plein après-midi.

Elle n'envoya pas les photos à Teddy. Ils se parlaient au téléphone quand il avait l'occasion d'appeler, mais elle ne disait rien parce que les filles étaient dans la pièce.

Elle n'avait personne d'autre à qui se confier. Elle n'avait jamais renoué avec sa famille, suite à leur désaccord au sujet de Teddy. Sa sœur aînée, Adèle, avait fait un mariage malheureux, et puis elle était au Canada, inutile de compter sur elle.

Les semaines filaient et chaque nuit, dans son lit, elle pensait au baiser du photographe, au sang sur sa lèvre, dans le miroir, et l'idée lui vint de se confesser. Elle n'était pas allée à la messe depuis le départ de Teddy ; faire enfiler une robe du dimanche à Clarissa relevait de l'exploit. Maintenant, il lui semblait que le simple fait de dire ce qui s'était passé l'aiderait à se sentir mieux, et elle se rendit seule dans une église de la ville où ni elle ni Teddy ne risquaient de connaître le prêtre.

L'odeur de cierge, de fleur et de bois ciré la bouleversa. Elle retrouvait le parfum des dimanches de son enfance, où les vieilles dames lui parlaient en français, le prêtre en latin et où les seuls péchés imaginables se résumaient à : *J'ai répondu à ma mère. Je me suis battue avec ma sœur. Je n'ai pas rangé mon coin de la chambre en rentrant de l'école.*

Elle récita une courte prière hors du confessionnal puis entra, escortée de tous les péchés imaginables de son enfance, et le petit volet s'ouvrit en coulissant.

— Bénissez-moi, mon père, car j'ai péché, dit-elle. Je ne me suis pas confessée depuis six mois.

Teddy était parti depuis six mois.

– Qu'avez-vous fait, mon enfant? répondit la voix.

– Je…

Elle se rendit compte qu'elle ne savait pas quoi dire. Il fallait que ce soit une confession, pas une accusation contre le photographe.

– J'ai tenté un homme, dit-elle.

– De quelle manière?

– Mon mari est en Corée. Un homme est venu faire une photo de la famille, pour envoyer à mon mari.

– Et? demanda le prêtre alors qu'elle ne parvenait pas à continuer.

– J'ai bu un verre avec lui, chez moi, pendant que mes enfants étaient là, l'après-midi, et il m'a embrassée.

– Devant les enfants?

– Non, elles étaient sorties.

– Il vous a seulement embrassée?

– Il m'a prise dans ses bras. Je me suis débattue et il m'a blessée à la lèvre.

Cela commençait à ressembler à une accusation.

– Je l'ai tenté, mon père, ajouta-t-elle. J'ai un peu flirté avec lui. Je n'aurais pas dû le laisser entrer.

– Qu'avez-vous fait, après qu'il vous a embrassée?

– Je l'ai renvoyé.

– Immédiatement?

– Immédiatement, dit-elle.

– Vous l'avez dit à votre mari ?

– J'ai essayé de lui écrire, mais je ne trouve pas les mots et j'ai peur qu'il comprenne de travers.

– Votre mari est jaloux ?

– Je ne lui ai jamais donné l'occasion de le montrer.

Elle repensait à son père qui la prenait sur ses genoux et la questionnait à propos des excursions de sa mère dans les magasins. Elle savait toujours ce que sa mère avait acheté, elle avait vu les différents rayons – vaisselle, linge de table, chapeaux – qu'elle pouvait ainsi décrire à son père quand en réalité, elle avait passé la journée à lire dans la mezzanine du rayon livres.

– Et vous craignez de lui fournir une occasion, maintenant, dit le prêtre.

– Il se bat pour le pays. Et je me suis laissé embrasser par un homme.

– Vous vous êtes défendue, dit le prêtre. Vous avez fait ce que vous pouviez.

– Oui, lâcha-t-elle, reconnaissante.

Le poids des dernières semaines s'envolait de sa poitrine. Le prêtre semblait prendre son parti.

– Vous avez eu de la chance que cet homme n'aille pas plus loin.

– Je sais, dit-elle joyeusement, infiniment soulagée.

– Vous devez le dire à votre mari, fit le prêtre et le poids se réinstalla sur sa poitrine. Pécher par omission est une infamie, que ce soit entre le mari et la femme ou entre le confesseur et le confessé.

– Oui, mon père.

L'espoir qu'elle avait ressenti était insensé, égoïste.

– Il n'est peut-être pas très sage de recevoir des hommes chez vous, ajouta-t-il.

– Oui.

– Vous direz dix Ave Maria et dix Notre Père, et une prière pour moi.

Elle s'agenouilla sur un banc près de l'autel pour s'acquitter de sa pénitence.

En entendant le prêtre sortir du confessionnal, elle interrompit les Notre Père pour jeter un coup d'œil par-dessus son épaule. Un homme grand et corpulent, en robe de dominicain, dont les cheveux noirs grisonnaient. Elle vit qu'il la cherchait du regard, parmi les bancs, jusqu'à ce qu'il la voie et détourne les yeux. Elle termina sa pénitence par une prière pour lui et sortit dans la lumière limpide du jour, encore plus accablée que lorsqu'elle était entrée parce qu'elle savait maintenant qu'il était hors de question de ne pas révéler à Teddy ce qu'elle avait fait.

Teddy revint en permission avant qu'elle ait eu le temps d'écrire une lettre qui sonne juste et elle décida de lui parler plus tard ; elle ne voulait pas gâcher le bonheur de l'avoir à la maison. C'était juste avant Noël et ils organisèrent une soirée où tous les couples étaient présents. Yvette avait des boules orange pailletées en guise de boucles d'oreilles et une nouvelle robe de cocktail blanche, Teddy confectionna des martinis aux oignons et tout le monde dansa. Pour la première fois, les filles restèrent debout jusqu'à la messe de minuit et c'était tellement magnifique, ces lumières et ces chœurs. Au nouvel an, ils se rendirent à la soirée des officiers, où il y avait un grand orchestre, et rentrèrent à trois heures et demie du matin, alors que Teddy embarquait pour la Corée à six heures. Elle avait fait comme s'il ne repartait pas mais, en enlevant ses chaussures et sa robe, elle sut qu'il *allait* partir et qu'elle devait lui parler. Elle s'examina, dans sa combinaison, pour voir si elle n'avait pas l'air trop ivre et entra dans la chambre.

– J'ai quelque chose pour toi, avant ton départ, dit-elle. Elle prit l'enveloppe dans la table de nuit et sortit les tirages qu'elle étala sur le lit.

Teddy s'assit sur le lit pour les examiner. Il dit :

– Regarde-toi. Tu es tellement jolie.

L'espace d'une seconde, elle crut pouvoir en rester là ; il n'était pas fâché et il la trouvait jolie. Pourtant, elle continua.

– Il y avait un photographe, dit-elle, je l'ai rencontré à la plage, pendant que les filles nageaient, et il a proposé de faire une photo pour toi, puisque tu étais loin.

Teddy serra les mâchoires et leva les yeux sur elle, attendant la suite.

Yvette devait tout dire d'un trait, sans quoi elle n'y arriverait pas.

— Il est venu prendre la photo et il ne voulait plus partir, et il a essayé de m'embrasser.

Il y eut un silence.

— Est-ce qu'il t'a *embrassée*? demanda Teddy.

— Je l'ai repoussé.

— Quel genre de baiser?

— Je ne sais pas, dit-elle. Il m'a attrapée, il m'a embrassée et je me suis écartée.

— Mais alors, il t'a aussi touchée?

Teddy avait le regard dur, intense.

— Il m'a juste attrapée.

— Il t'a touchée où? demanda Teddy d'une voix qui sonnait comme une menace.

— Je ne sais pas! dit-elle. À la taille.

Il se remit à étudier les photos. Puis il la regarda à nouveau.

— Tu avais bu? demanda-t-il.

Elle se taisait, cherchant une réponse.

— Tu avais bu, dit Teddy, d'un ton sec et militaire, suffisamment bas pour ne pas réveiller les enfants.

— J'avais bu un verre. Je lui en avais servi un et je m'en suis préparé un en même temps. Mais je n'ai pas répondu à son baiser, je ne voulais pas qu'il m'embrasse. Je l'ai fait partir. Je l'ai chassé tout de suite.

Teddy rassembla posément les photos.

— Comment as-tu eu ces tirages ? demanda-t-il en en formant un tas bien net qu'il tapotait contre l'enveloppe posée sur le lit.

— Il est venu les apporter. Je ne l'ai pas laissé entrer.

— Mais tu as accepté les photographies.

— Je ne voulais pas que ce soit *lui* qui les ait.

Elle essayait de contrôler le désespoir dans sa voix.

— Elles étaient pour toi.

— Tu l'as payé ?

— Il a refusé.

Teddy glissa les tirages dans l'enveloppe qu'il considéra, là, sur ses genoux.

Yvette appliquait la règle de sa mère selon laquelle les filles ne pouvaient pas se coucher fâchées. Si elles s'étaient disputées, elles devaient se réconcilier avant d'aller au lit. Teddy fit sa toilette et s'allongea sans un mot. Jamais auparavant il n'avait été dur avec elle. Or là, il semblait impitoyable.

— Teddy, dit-elle en se mettant au lit et en éteignant la lumière. Tu vas bientôt partir. Ne sois pas fâché. Je n'aime que toi. Je ne veux plus jamais revoir cet homme.

Teddy se retourna et se redressa, appuyé sur un coude. Elle s'était accoutumée à l'obscurité et distinguait ses yeux sévères posés sur elle. Il lui fit l'amour mais il était en colère, elle sentait son corps en colère et il termina en lançant un regard inflexible et furieux au-dessus de sa tête. Le soleil se levait. Il fourra l'enveloppe dans son paquetage et avant qu'il fasse complètement jour dans la chambre, il était parti.

Cette période de service fut difficile pour elle; elle lui écrivit de nombreuses lettres et n'en reçut aucune. Il donnait brièvement des nouvelles, par téléphone, sans jamais poser de questions, des appels très courts. Les combats s'intensifiaient, la flotte de Teddy perdait des avions. Il volait sur un C-2 qui n'était pas conçu pour effectuer des bombardements en piqué mais il dut apprendre à le faire pour soutenir les combattants au sol. À n'en plus finir, il attaquait et lâchait son chargement sur les montagnes sombres où s'affrontaient les troupes, sous lui.

À son retour, il souffrait de problèmes auditifs, à cause des piqués, et de pertes d'équilibre. Parfois, il se raccrochait brusquement au bras d'Yvette en franchissant un trottoir ou un pas de porte, afin de ne pas tomber. Il avait abattu des hommes à très basse altitude, et d'avoir vu les gens qu'il tuait avait modifié quelque chose en lui, aussi. Même s'il ne le formulait pas ainsi, Yvette voyait qu'il avait changé. La guerre de Corée était différente de la précédente. Les combats avaient été plus rudes que dans le Pacifique pour lui, et s'il ne doutait pas des raisons de se battre, on ne pouvait pas dire que beaucoup de gens partageaient sa certitude.

Le photographe, qu'ils ne mentionnaient jamais, s'était immiscé dans leur mariage et elle ne savait pas comment l'en déloger. Elle trouvait que le prêtre avait eu tort de lui dire d'en parler à Teddy. Sa mère avait raison de faire croire à son père qu'elles arpentaient ensemble les rayons vaisselle, linge de maison et chapeaux des magasins. Sa mère allait faire ses courses, seule; quel mal y avait-il à cela? Elle collait les coupures de journaux sur Teddy dans les albums de famille et prenait des photos des enfants destinées à chasser de son esprit celles du photographe. Elle ne savait pas où Teddy gardait l'enveloppe, ni s'il l'avait gardée, mais elle constatait qu'il était devenu un autre homme; même s'il ne se montrait pas aussi dur que cette nuit-là, sa voix avait des intonations plus militaires, son regard était plus soupçonneux. Il quitta les réservistes et reprit son emploi à la North American, et ils s'installèrent dans une vie de couple aux allures de trêve.

2

La guerre au milieu du Pacifique marqua un curieux temps d'arrêt, au cours de l'été 1945. Teddy sortait chaque jour en patrouille aérienne, à la recherche de sous-marins absents, puis regagnait le porte-avions pour rédiger des rapports, entretenir son matériel, et réfléchir. Le bruit courait qu'ils préparaient une invasion terrestre du Japon. Les pilotes n'étaient que partiellement informés, à cause des risques de capture, mais au vu des exercices d'entraînement, Teddy estimait plausibles les rumeurs de débarquement. Rand, un pilote avec lequel il jouait au gin-rami dans les vestiaires, affirmait que les Japonais se battraient jusqu'à la mort sans jamais se rendre, qu'ils se tueraient plutôt que de se laisser capturer. Teddy se demanda s'il en ferait autant, et conclut qu'il serait abattu en vol avant d'avoir à décider.

Ils croisaient sur un porte-avions léger, un petit bâtiment équipé d'une piste tellement courte que les avions

décollaient du pont au moyen d'une catapulte hydrau-
lique, comme des boulets de canon. Les pilotes devaient
se garder d'empoigner les commandes pour ne pas risquer
de les tirer vers eux sous l'effet de la force de gravité. Ils
conservaient les coudes le long du corps, la main gauche
à plat sur la manette des gaz, la droite posée sur le manche
à balai, la tête renversée en arrière. Puis la charge explo-
sive transformait l'avion en projectile, l'accélération leur
clouait l'estomac au dossier du siège, et ils actionnaient
les commandes. L'impact était toujours précédé d'un
moment particulier, d'une immobilité parfaite sous le
bleu du ciel, alors que le choc était imminent. Au sol,
l'équipage de la catapulte était prêt à l'action, et durant
cette longue seconde le calme était absolu. C'était l'image
que Teddy se faisait de la mort : le moment d'attente, le
ciel bleu, un événement à la fois prévisible et surprenant
sur le point d'advenir.

Laisser sa femme seule, voilà ce qui troublait le plus
Teddy dans l'éventualité de la mort. Quand Yvette lui
décochait son sourire de pin-up, par-dessus l'épaule, il
en avait le souffle coupé. Elle avait une dent ébréchée sur
le côté droit, un éclat minuscule visible seulement de
près, dont Teddy était fou. Plus encore, il adorait que ce
sourire affiche sans complexe ce petit défaut. Il avait
envie d'embrasser cette dent, dès qu'il y pensait. Comme
lui, Yvette venait du Canada, et comme lui, elle était

catholique, et il avait l'impression de la connaître de l'intérieur, depuis toujours. Il souffrait d'être si loin.

Ils avaient été heureux pendant leurs trois mois de vie de couple, à Santa Barbara. Les endroits où l'on jouait de la musique ne manquaient pas, Yvette le faisait danser jusqu'à l'épuisement, sur un rythme effréné – si Teddy avait déclaré forfait elle aurait jeté son dévolu sur quelqu'un d'autre. Elle irradiait de bonheur en dansant : l'arc immense de son sourire glissait sous le bras de Teddy, lorsqu'il la faisait tournoyer. Pendant les interminables journées d'attente, l'image d'Yvette en train de pivoter sur elle-même, l'apparition de son sourire, envahissait le cerveau de Teddy. Il en vint à haïr la bande de Pacifique qui les séparait.

Sur le porte-avions où les occupations étaient trop rares et le temps trop long, son esprit obnubilé par Yvette ressemblait à un engrenage qui tourne fou, incapable d'établir une connexion pour libérer son énergie. Son commandant avait vu juste en l'autorisant à passer trois mois à la maison, mais ce n'était pas suffisant pour qu'une femme comme Yvette se sente mariée. La savoir seule en Californie, elle qui avait tellement l'habitude d'être aimée – son père, ses frères, ses oncles, tout le monde l'adorait – était insupportable.

Cet été-là, dans le Pacifique, Teddy commença – malgré lui – à imaginer des scènes dans lesquelles Yvette prenait du bon temps avec des hommes qu'il connaissait. Cela se passait chez eux, parfois dans leur propre chambre, ou encore dans une voiture, dans le noir. Il y avait le vieil épicier, le garagiste avec sa patte folle, et parfois Rand, pourtant dans l'incapacité d'être à la maison en compagnie d'Yvette puisqu'il était présent sur le porte-avions. Ces pensées le gênaient lorsqu'il croisait ensuite son ami sur le pont et Teddy laissa finalement Rand de côté. Les choses se précisèrent dans sa tête. Il fallait que ce soit chez eux. Et cela commençait toujours par un verre. Son ami Martin, qui avait été réformé, passait dire bonjour à Yvette et aux enfants. Yvette lui servait à boire et prenait un petit verre, elle aussi. C'était suffisant. Au verre succédaient les premiers baisers, dans la maison vide, en prenant soin de ne pas réveiller les filles – ses filles – puis la main sur les seins, le vertige du désir chez Yvette. Les mains de Martin ; le canapé du salon ; le lit, son lit. Teddy distinguait même la dent ébréchée lorsque la bouche d'Yvette s'ouvrait sur un genre de sourire, elle jouissait, Teddy aussi, et l'image disparaissait d'un coup. Quand tout était fini, il demeurait étendu sur le dos, sur sa couchette, l'esprit en feu.

Trois jours avant la date retenue, d'après les rumeurs, pour l'attaque du Japon, la bombe frappait Hiroshima. Sur le porte-avions de Teddy qui patrouillait au large des îles Mariannes, prêt à intervenir, ce fut la surprise. Très vite, les rumeurs se transformèrent : il n'y aurait pas d'invasion terrestre. À bord, l'ambiance était à la fête mais Teddy restait sous le choc. Alors que personne n'avait jamais fait allusion à la bombe auparavant, pas un mot, les commentaires sur sa puissance allaient bon train, maintenant. Comment autant de gens avaient-ils pu expérimenter, tous ensemble et au même instant ce laps de temps bleu, suspendu, auquel Teddy associait la mort ? Elle avait frappé sans prévenir, atrocement. Puis la seconde bombe avait suivi. Teddy prit ses distances avec ses camarades de bord et Yvette accapara encore davantage ses pensées.

Une semaine plus tard, ils s'entraînaient au-dessus d'une plage de Guam. Teddy volait à basse altitude, lâchait sa cargaison sur des bidons d'essence vides, tandis qu'un officier en liaison radio suivait la manœuvre depuis un navire de débarquement en mer. Teddy anticipa la seconde cible et largua sa charge trop tôt. Dans son oreille, la voix de l'officier lui rappelant de viser juste s'interrompit à mi-phrase pour annoncer : « Le Japon a capitulé – le Japon a capitulé. » Des engins antiaériens explosèrent à l'horizon : d'autres porte-avions fêtaient l'événement. Un B-29 passa au-dessus de lui et Teddy le suivit jusqu'au bâtiment dont il survola en rase-mottes l'équipage qui lui faisait des signes depuis la piste, avant de repartir à l'assaut du ciel dans un looping acrobatique et victorieux. Teddy pensa que la capitulation lui permettrait peut-être de rentrer chez lui et l'ascension de l'avion s'accompagna d'un bond dans son estomac.

Le porte-avions fut envoyé dans le port de Tokyo, à l'instar des autres navires de la région. Pour assurer une présence, supposa Teddy, et ils passèrent dix jours à l'ancre. L'inaction était totale – pas de patrouilles de détection de sous-marins, pas d'exercices, pas d'entraînements en vol. Il s'efforçait de repousser les pensées obsédantes liées à Yvette mais elles resurgissaient sans cesse. Il essayait de se raisonner. Yvette était une chic fille. Elle aimait boire un whisky-soda et danser – elle appréciait la vie, voilà tout. Pourtant, dans son esprit, Yvette était résolument dévergondée. Teddy savait que les fantasmes relevaient du péché, y avoir recours le culpabilisait. Au-delà de la morale, il avait l'impression que son cerveau ne tournait pas rond.

Ils étaient toujours au port lorsqu'un typhon frappa la côte, et ils prirent le large pour lui échapper. Sur la mer déchaînée, le porte-avions piquait du nez, disparaissant presque dans le creux des vagues avant de rejaillir sur les crêtes. Teddy cessa de penser à Yvette, l'instinct de survie mobilisait les rouages de son esprit. La crainte, la victoire, la peur de la folie ou la mort n'étaient rien comparées à la nausée et au manque de sommeil, au tangage des couchettes la nuit et au froid permanent. Le cuisinier ne pouvait pas utiliser ses fourneaux, les repas se réduisaient à des sandwichs. Teddy gardait un bonnet rabattu sur les oreilles et vaquait à ses occupations dans un état de rêve cafardeux, puis il s'arrimait à sa couchette pour ne trouver qu'un demi-sommeil.

Enfant, Teddy avait fréquenté un prêtre qu'il prenait pour un membre de la famille : l'homme dînait souvent chez eux, un autre père, en quelque sorte. Lorsque Teddy eut six ans, son grand-père mourut et le prêtre, debout au bord du grand trou terreux où reposait la caisse blanche, avait prononcé des paroles incompréhensibles pour Teddy, puis sa grand-mère, vêtue de sa robe noire, s'était élancée dans la fosse comme un grand oiseau pour serrer la caisse dans ses longs bras fins en pleurant, « *Il est mort! Il est mort**1 *!*», vraiment comme un oiseau, et il avait fallu repêcher son corps effondré au fond du trou. Teddy espérait-il qu'Yvette en fasse autant? Il lui semblait que oui. La scène, qui l'avait effrayé à l'époque, restait un modèle de dévotion. Lui-même ne se jetterait pas dans la tombe d'Yvette si elle mourait – un geste trop hystérique pour un homme – mais il ferait plus. Il en était certain.

Lorsque la tempête prit fin, ils rapatrièrent sur les porte-avions les troupes de l'armée de terre enlisées dans la boue

---

1. Les occurrences en italique suivies d'un astérisque sont en français dans le texte. (*N.d.l.T.*)

des côtes. Les avions furent amarrés sur le pont d'envol pour permettre l'installation de baraquements de fortune sur le pont des hangars. Les soldats, heureux d'avoir quitté la boue, renouaient avec la propreté dans une bonne humeur grégaire. Trois officiers trouvèrent Teddy en train de lire sur sa couchette, après son service. Rand leur avait confié, dirent-ils, que la femme de Teddy était très belle. Ils demandèrent à voir une photo. Derrière eux, Rand s'excusait en vain, les bras au ciel. Teddy répondit qu'il n'avait pas de photo, ce qui fit sourire un des hommes.

— À mon avis, tu nous racontes des histoires, dit-il.

— Je n'ai rien à vous montrer.

— On ne veut rien de mal, juste la voir.

L'homme sourit.

— Elle doit valoir le coup d'œil.

Il souleva un coin du matelas de Teddy comme s'il s'attendait à y trouver des photos. Teddy saisit violemment l'homme sous les épaules et le repoussa contre ses camarades. Déstabilisés par le poids de l'officier, ils le regardèrent étonnés.

— Bon Dieu, dit l'homme en se redressant. Allez, c'est pas grave.

Il leva les mains.

— Du calme, dit-il.

— Laissez-moi tranquille, dit Teddy d'une voix qui sonnait étrangement.

Les hommes se retirèrent à l'exception de Rand. Teddy se sentit bête devant son ami, mais la colère lui nouait toujours le ventre.

— Bande de singes, dit Teddy.

Rand l'observait.

— Je perds les pédales, hein ? demanda Teddy.

Rand restait silencieux.

— Je veux dire, il n'y avait pas de quoi s'énerver. Ils avaient envie de voir une Américaine, rien d'autre.

— Ne t'en fais pas, dit Rand. Ils oublieront.

Après le départ de Rand, Teddy s'assit sur sa couchette, le visage dans les mains. Il avait menti – il avait des photos qu'il ne supportait pas de regarder. Elles étaient rangées dans les plis d'une lettre écrite à l'encre violette sur du papier jaune qu'Yvette lui avait envoyée après sa première permission. Une lettre où elle décrivait en détail son corps à la sortie du bain, l'eau ruisselant le long de ses jambes, son bras tendu vers la serviette de bain. Dans la plupart des lettres, il encerclait des mots illisibles pour qu'elle les décrypte ensuite, mais dans celle-ci, il comprenait tout. Cette lettre avait rendu Teddy furieux parce qu'Yvette ne mesurait pas l'étendue de son propre pouvoir. Il se pouvait qu'elle parle et écrive de cette manière à d'autres gens, sans se rendre compte que cela devait se limiter à lui seul, et encore, pas même à lui – il ne supportait pas qu'elle ait une telle maîtrise de son corps, au point de l'évoquer ainsi, et si peu l'idée d'en exprimer le caractère sacré. Il n'avait pas répondu, préférant attendre une conversation téléphonique et dans le grésillement de la ligne la voix d'Yvette s'était faite de plus en plus gênée et chagrine. La lettre lui était destinée, elle était pour lui, pour lui faire plaisir. Facile à dire. Il n'avait pas mentionné la lettre lors de la permission suivante, mais il la gardait toujours avec lui, incapable de s'en séparer. Il la relisait parfois, regardait les photos jusqu'à avoir mal aux yeux et un poids sur la poitrine. Il avait eu tort de se montrer aussi susceptible, devant les gars de l'armée. Teddy s'allongea sur sa couchette et Yvette se mit à lui raconter tout ce qu'elle avait fait avec un officier qui lui avait rendu visite après avoir vu une photo d'elle.

Le lendemain matin, le manque de sommeil lui brûlait les yeux. Il s'assit dans son avion, la tête en arrière et le corps solidement sanglé, mais au lieu de garder les paumes ouvertes, il empoigna la manette des gaz de la main gauche et le manche à balai de la main droite. En agissant ainsi, la suite échapperait à son contrôle, pensat-il. Ce ne serait même pas un péché. L'impact de la propulsion ramènerait ses mains vers lui, entraînant la manette des gaz et le manche à balai, et l'avion partirait en vrille au sortir de la piste trop courte jusqu'à ce que l'eau bleue se referme au-dessus de sa tête et adieu Teddy.

L'équipage fixait l'avion à la catapulte et Teddy attendait, s'imprégnait du moment, observait ses mains cramponnées aux manettes plus fermement que jamais, même en vol, puis il lâcha prise. Le choc habituel se produisit, l'estomac de Teddy s'écrasa contre sa colonne vertébrale et il fut projeté au-dessus des vagues et l'instant du temps suspendu fut, une fois encore, plein d'une nouvelle journée.

Il n'y avait évidemment aucun sous-marin et il regagna le porte-avions. Alors qu'il s'extirpait du cockpit avec tout son harnachement, Teddy aperçut Rand debout sur le pont, en train de parler avec leur commandant. Rand avait l'air sérieux, il ne gesticulait pas et ne riait pas comme lorsqu'il racontait une histoire. Au moment où Teddy croisa son regard, il détourna les yeux.

Deux jours plus tard, à Guam, Teddy recevait son ordre de transfert sur un navire de transport de troupes en route vers Hawaii d'où il serait ensuite rapatrié en Californie et stationné chez lui. Rand ne partait pas. Teddy prit son ami à part, dans le vestiaire, avant leur dernière mission.

— Pourquoi je pars? demanda-t-il à voix basse, pour être entendu seulement de Rand.

— Comment veux-tu que je le sache, répondit Rand. Tu as une sacrée veine, non? La moitié de l'équipage rentre à la maison.

— Vous allez où?

– On retourne aux Mariannes, dit Rand. Pas pour longtemps, j'espère. Va retrouver ta femme et tes enfants et pense à moi, en train de moisir dans ces foutues îles.

Teddy scruta le visage de son ami, cherchant à déceler un signe, la preuve qu'il le croyait fou.

– C'est à cause de cette face de rat qui voulait voir les photos ? demanda-t-il.

Rand eut l'air franchement abasourdi.

– Je veux dire, est-ce qu'ils pensent que je deviens dingue ?

Rand fronça les sourcils.

– Bon Dieu, absolument pas, dit-il. Mais si tu continues, on va se poser des questions. Je croyais que tu avais envie de rentrer chez toi.

Et il avait envie, sans en avoir envie.

La traversée sur un nouveau bateau, l'arrivée dans l'odeur douce et puissante d'Hawaii, le transport de troupes accostant à Long Beach, Teddy était de retour. Il se rasa soigneusement, lissa les plis amidonnés de son pantalon. Il mit son chapeau, l'ôta, le remit. Il ne savait pas comment il se comporterait en revoyant Yvette. Il voulait se conduire en mari et en homme. Il voulait surtout éviter de pleurer.

Le quai était noir de monde – des familles tirées à quatre épingles, vêtues à l'américaine, venaient accueillir leurs militaires de retour au pays. Dans la bousculade générale, les civils impatients de retrouver leurs proches abrégeaient le rituel des félicitations. Teddy était comprimé avec son gros sac de toile. Il aurait pu rester à bord le temps que la foule se disperse mais les pères de famille avaient le droit de débarquer en premier et Teddy attendait depuis tellement longtemps. Il passait en revue les visages des femmes à mesure qu'elles émergeaient de la cohue mais aucune n'était la sienne : trop quelconque, trop blonde, trop maquillée, trop vieille. En faisant ses bagages il avait sorti les photos d'Yvette : Yvette en jupe, sur la pelouse, en maillot de bain blanc une pièce, à la plage. Yvette regardant par-dessus son épaule avec un collier de perles, ses cheveux noirs relevés, souriant entre les plis du papier jaune couvert de pattes de mouche violettes. La douleur avait été telle, dans sa poitrine, qu'il en avait eu le souffle coupé ; il avait remis les photos dans la lettre et rangé le tout.

Quelqu'un fit tomber son chapeau, dans la bousculade, et Teddy se baissa pour le ramasser. En se redressant, il la vit debout le long du parking envahi de voitures. Elle ne l'avait pas remarqué ; la petite dernière sur la hanche, elle était penchée vers Margot et écoutait ce que lui disait la fillette maintenant en âge de marcher. Leurs deux têtes étaient réunies, les cheveux noirs d'Yvette et la blondeur de Margot dans le soleil. Il se dégagea de la foule et les observa un moment à distance, sans oser s'approcher. Yvette ressemblait à la femme de son souvenir – aussi jolie – et elle n'avait rien d'une pin-up là, avec leurs deux filles.

La petite Margot le vit la première et Yvette rejeta ses cheveux noirs en arrière pour regarder dans la même direction que la fillette. Elle sourit, un sourire suffisamment large pour dévoiler la dent ébréchée qu'il aimait tant. Elle s'adressa à Margot et la petite fille sourit à son tour, puis s'avança vers lui.

– Oh mon trésor, dit-il tandis qu'il la soulevait et la serrait contre lui.

Sa jupe verte en accordéon sous son bras, elle abaissa vers lui son visage radieux, la miniature de celui d'Yvette. Il posa son sac, enlaça sa femme de son autre bras et la pressa aussi fort qu'il pouvait sans écraser le bébé. Prise dans cette étreinte complexe, Yvette l'embrassa et lui dit qu'il lui avait terriblement manqué, que la voiture était là et qu'ils feraient bien de partir au plus vite avant que ce ne soit la pagaille sur le parking.

Il étudia son visage. Son impatience venait-elle d'une envie de faire l'amour? Était-ce une forme de fuite, liée au fait qu'elle ne savait pas quoi lui dire et cherchait à échapper à un certain malaise? Margot se pencha vers sa mère et Yvette lui parla doucement en la laissant dans les bras de son père. Puis elle lui sourit, faisant passer Clarissa sur son autre hanche.

– Je veux tout savoir, dit-elle.

Debout près de son sac, Margot dans les bras, il attendait d'être en mesure d'avancer d'un pas dans cette existence qui était la sienne. S'il pouvait faire ne serait-ce
qu'un pas, alors il accomplirait le retour vers la voiture,
la maison, son lit, une semaine de congé et puis une vie
sédentaire et des obligations dignes des temps de paix.
Yvette lissa la jupe de Margot contre le bras de Teddy et
lui adressa un curieux sourire qui s'élargit à mesure
qu'elle l'observait, se demandant ce qu'il allait faire.
Encore un instant, et il serait prêt. Encore un instant, et
il ramasserait son sac, et ils partiraient.

3

Clarissa avait trois ans et demi lorsque les Winston, qui habitaient cinq maisons plus bas, la trouvèrent accroupie dans sa robe jaune au beau milieu de la rue, sans sa grande sœur.

– Qu'est-ce que tu fais là, toute seule, demandèrent-ils. Où est Margot?

Clarissa resta accroupie sur la chaussée.

– Oh, dit-elle gravement, Margot est morte la nuit dernière.

– Morte?

Les Winston étaient horrifiés.

– Oui, dit Clarissa. À l'hôpital.

Puis elle se leva, tira sur sa robe chiffonnée et rentra chez elle.

Une avalanche de coups de téléphone permit d'établir que Margot n'était pas morte – ni même malade –, elle fut suivie d'une avalanche de réprimandes. À dater de ce jour, Clarissa garda ses désirs pour elle seule. Elle allait à l'église en compagnie de ses parents et de Margot, et fixait ses gants blancs, la mine renfrognée. Elle jouait avec les enfants, dans la rue; leur jeu favori consistait à lancer un ballon par-dessus la maison et à courir depuis le trottoir pour le rattraper dans le jardin à l'arrière en criant à tue-tête mais Clarissa était trop petite et n'arrivait jamais la première. Même dans les jeux pour les enfants plus jeunes, elle abandonnait souvent la partie, se bornant à regarder les autres, l'air mécontent.

À la maternelle, Clarissa allait en classe avec des garçons et ce fut son année d'école préférée. Mais l'année suivante, on l'envoya à Notre-Dame de Lourdes, où il n'y avait pas de garçons, et son père était absent, il pilotait son avion. Un homme prit des photos pour les envoyer à son père, et Clarissa fut perturbée à l'idée qu'il ait besoin de photos pour se rappeler à quoi elles ressemblaient toutes les trois. Lorsqu'il revint à Noël, elles reçurent des montagnes de cadeaux et lui ne savait plus où donner de la tête, il les embrassait et dansait autour du salon avec leur mère jusqu'à ce qu'elle s'écrie: «Arrête, Teddy!» Clarissa était dépassée par son envie d'accaparer son père. Elle le suivait partout dans la maison mais faisait marche arrière lorsqu'il s'en apercevait.

– Qu'est-ce que tu as, ma puce? demandait-il.

Qu'aurait-elle pu répondre?

Puis il retourna piloter son avion.

À Notre-Dame de Lourdes, on récoltait des fonds pour acheter des enfants païens en Afrique et leur donner le baptême et un nom chrétien. Clarissa mit de côté tout son argent pour les enfants africains, épargnant le moindre sou – même ceux qui ne lui appartenaient pas à proprement parler – et en février, sa classe avait collecté plus d'argent que toutes les autres classes de l'école, y compris celle de Margot. Un jour, sœur Eugène convoqua Clarissa pour un entretien en tête-à-tête, et elle en éprouva de la fierté.

– Clarissa, commença la nonne, le Seigneur nous dit que notre main gauche doit ignorer ce que fait notre main droite.

Clarissa savait les distinguer car il existait une différence entre son pouce gauche et son pouce droit, légèrement enflé et irrité d'avoir été sucé pendant des années. Elle le sentait en ce moment même contre sa jambe, à travers la jupe de son uniforme.

– Tu sais ce que cela signifie ? demanda sœur Eugène.

Clarissa rougit et secoua la tête.

– Cela signifie que nous sommes charitables sans en tirer de fierté et qu'ainsi, notre générosité reste inconnue de tous, y compris de nous-même.

Clarissa fronça les sourcils, toujours préoccupée par l'irritation à l'extrémité de son pouce droit.

– Je crois que tu t'es vantée au sujet des enfants païens, dit sœur Eugène.

Les joues écarlates de Clarissa devinrent brûlantes et douloureuses ; elle le sentait jusqu'à ses oreilles et sa gorge.

– Nous avons eu *le plus*, dit-elle.

– Ce n'est pas une raison pour en tirer orgueil ou vanité, dit sœur Eugène. Nous ferions mieux de penser à tout ce qui devrait encore être accompli.

Clarissa lança un coup d'œil furieux au bureau. C'*était* une raison d'être fière. Il s'agissait d'un concours, elles avaient gagné. La classe de Margot avait perdu.

– Dieu comprend ce que tu as fait pour les enfants africains, dit sœur Eugène. Tu n'as pas besoin d'en parler à tout le monde pour qu'Il le sache.

Clarissa resta assise en silence, les yeux étincelants de rage, jusqu'à ce que sœur Eugène la laisse partir. De retour à la maison, elle enterra la poupée chinoise de Margot dans le jardin mais sa mère la retrouva et fit asseoir Clarissa, exactement comme l'avait fait sœur Eugène. Clarissa se prépara à recevoir un sermon.

Sa mère lui expliqua qu'*elle* aussi avait une grande sœur – Adèle, la tante de Clarissa – dont elle avait toujours été jalouse parce qu'elle accédait à tout en premier. Un jour, raconta-t-elle, Adèle s'était rendue à une soirée dansante vêtue d'une nouvelle robe et à son retour la robe était tachée sur le devant d'une grande éclaboussure rose de cocktail et sentait l'alcool. Adèle avait caché la robe au fond de l'armoire de sa chambre mais Yvette l'avait trouvée. Elle avait averti sa mère qui en avait parlé à leur père.

Clarissa attendit de connaître la suite, mais sa mère se tut et refusa de terminer l'histoire, ne sachant apparemment plus très bien où elle voulait en venir. Finalement, elle se borna à dire qu'elle comprenait ses sentiments de petite sœur. Elle ajouta qu'il ne fallait pas se soucier des actes des autres car Dieu voit tout ce que nous faisons, en bien et en mal. Il fallait donc s'efforcer d'être bon.

— Mais j'essaie, dit Clarissa.

— Je sais, ma chérie, dit sa mère et elle la serra très fort dans ses bras.

Margot fit sa confirmation la première, dans une robe blanche cousue par leur mère, et elle raconta à Clarissa qu'elle allait épouser le Christ, manger Son corps et boire Son sang. Clarissa prétendit que c'était du vin, à quoi Margot dit en souriant que sa sœur connaissait bien peu de chose. Clarissa traita Margot de vampire répugnant et celle-ci ne lui adressa pas la parole pendant une semaine. Puis vint le tour de Clarissa de porter une robe blanche et de manger l'hostie – Son véritable corps – et elle ne put s'empêcher d'être excitée, elle aussi.

Son père était revenu plus grave et plus insaisissable de ses missions aériennes en Corée. Il ne faisait plus danser personne à travers toute la maison et parlait de déménagement. En les voyant un jour rentrer de la plage en maillot de bain avec leur mère, la peau couverte de sable et aveuglées par le soleil, il avait semblé fâché. Le temps était trop beau, en Californie, leur vie trop facile, si elles voyaient dans quelles conditions vivait le reste du monde, avait-il dit. Ils étaient tous en train de pourrir à l'intérieur, affirma-t-il. Clarissa prit alors ses distances avec lui.

Parfois, il redevenait son merveilleux père, conforme à ce qu'un homme devait être, selon elle. «Tu es ma fille préférée… dans cette pièce», disait-il quand ils étaient seuls et elle savait bien que le début de la phrase était vrai. Il ajoutait le reste à cause de Margot, Clarissa n'était pas dupe.

Elle allait sur ses quatorze ans lorsqu'elle obtint ce qu'elle désirait tant: Margot partit étudier en France, une nouvelle grossesse de leur mère obligea celle-ci à prendre du repos dans un couvent et Clarissa eut son père pour elle seule à la maison. Il n'y avait jamais d'autre fille dans la pièce. Ils dînaient de sandwichs au beurre de cacahouètes ou de hamburgers au Surf Shack et le beau temps n'exaspérait plus son père. Ils mangeaient des tranches napolitaines nappées de sauce au chocolat avec autant de cerises au marasquin qu'elle voulait. L'air était devenu respirable, depuis le départ de Margot.

Cette année-là, Clarissa entra au collège du Sacré-Cœur et gagna le prix de science de General Electric. Ronald Reagan, qui animait le *G. E. Theater* à la télévision le dimanche soir, l'invita à déjeuner. M. Reagan irradiait d'une lumière peu commune, comme un tableau, et il la questionna sur les appareils électroménagers dont disposait sa famille à la maison. C'était un restaurant à la mode et elle ne connaissait pas la plupart des plats de la carte mais M. Reagan lui proposa de prendre un sandwich thon mayonnaise, si elle voulait. Elle commanda un thon mayonnaise et un sundae chocolat. Mais pas de tranche napolitaine – c'était leur glace, à son père et elle.

Au Sacré-Cœur, les élèves recevaient une fois par semaine un cours de danse de salon et de maintien. Mlle Blair venait au cours de gymnastique et les filles dansaient entre elles le fox-trot et la valse. Elles apprenaient à marcher comme des dames, à offrir leur main. Grande et mince, Mlle Blair avait des cheveux blond cendré relevés en chignon banane et il lui arrivait de parcourir la pièce en dispensant des conseils de maquillage aux élèves : quelles couleurs leur iraient, comment accentuer leur regard. Le rouge à lèvres transparent naturel était le seul cosmétique toléré par les nonnes, ce qui n'empêchait pas les filles de prendre note consciencieusement. Mlle Blair suggéra à Clarissa de s'épiler les sourcils afin d'atténuer son air bourru. Clarissa essaya, avec une pince à épiler prise dans les affaires de sa mère mais chaque poil arraché lui donnait les larmes aux yeux, alors elle arrêta.

À la plage, elle rencontra un garçon nommé Jimmy Vaughan, à qui ses sourcils ne semblaient poser aucun problème. Il étudiait à Hermosa High, avait des yeux gris vert et des cheveux blonds bouclés, et lorsqu'il effleurait le haut de son maillot de bain, elle avait le corps parcouru de frissons. Il lui suffisait d'y penser pour encore frissonner. La chose nécessitait de se confesser, elle le savait – Margot l'aurait fait, elle. Mais au son de la respiration du prêtre de l'autre côté de la paroi, dans l'église, Clarissa sentit sa gorge se serrer. Sa mère affirmait que Dieu voyait tout. Inutile, dans ces conditions, d'en parler au prêtre. Assise dans l'obscurité chargée d'odeurs de renfermé, elle finit par avouer avoir utilisé les bons ciseaux de couture de sa mère pour couper du papier et s'être rendue au collège avec du rouge à lèvres rose.

Puis son frère Jamie vint au monde. Dès l'instant où Yvette le ramena à la maison, elle n'eut plus une minute à elle, le cheveu en bataille et un linge sur l'épaule, pour essuyer les renvois du bébé. Son père était excédé par les pleurs du bébé, tout recommençait comme avec Clarissa, disait-il. Les choses empirèrent avec le retour de France de Margot. Clarissa n'était pratiquement plus jamais seule avec son père et lorsqu'il commençait : « Tu es ma fille préférée... », son estomac se nouait en attendant la suite : « ... dans cette pièce. »

Au cours de natation, sœur Inez remarqua sur le bronzage de Clarissa la ligne plus claire de l'attache du bikini et elle lui reprocha d'avoir porté un maillot deux pièces. Ce jour-là, après la leçon, Clarissa ouvrit toutes les portes des casiers du vestiaire puis courut le long de la rangée en les claquant violemment. En guise de punition, elle dut accompagner pendant une semaine sœur Inez dans une série de prières silencieuses au cours desquelles elle fut parcourue de frissons en pensant à Jimmy Vaughan.

Jimmy avait monté un groupe de musique avec trois autres garçons ; il écrivait les textes et ils jouaient dans les cafés en ville. Une des chansons avait pour titre « Clarissa » et ils avaient vendu le quarante-cinq tours à la fête d'Hermosa. Parfois, alors qu'elle marchait dans les rues la nuit, elle entendait la voix de Jimmy Vaughan chanter son nom à travers une fenêtre ouverte. Margot n'avait aucune chanson à son nom, d'ailleurs jamais elle n'irait à la plage en bikini ni ne laisserait un garçon passer la main sur son maillot quand ils seraient seuls.

4

Margot étudiait facilement, elle adorait les règles, en appréciait la fonction – rien de plus. Ce n'était pas «sainte Margot», comme l'appelait sa sœur, et elle ne se prenait pas au sérieux. Elle aimait les préceptes de l'Église : ne laissez pas le soleil se coucher sur votre colère, allez au-devant des autres, tendez la joue gauche. Au collège, elle adorait tout ce qui relevait d'un système : le sonnet, la géométrie, le fox-trot. En classe de huitième, elle découvrit qu'il existait une façon de s'habiller et de se comporter propre à influencer l'attitude des autres à votre égard et elle comprit pourquoi elle avait si facilement évité les problèmes rencontrés par Clarissa avec les adultes et les nonnes. Cette dernière en était consciente, elle aussi ; c'était la raison de la haine que Clarissa vouait à sa sœur. Il était dans la nature de Margot de plaire.

Mlle Blair et M. Tucker assuraient le cours de danse au collège du Sacré-Cœur, et un jour qu'elle circulait et donnait ses conseils de maquillage à un groupe de filles, Mlle Blair s'arrêta devant Margot en secouant la tête :

– Jamais je n'ai vu une jeune fille aussi soignée, dit-elle.

Margot sourit à Mlle Blair, gênée. Elle dormait avec des bigoudis pour que ses cheveux ondulent sur ses épaules mais ses lourds cils noirs et l'arc de ses sourcils étaient parfaitement naturels.

– Je n'ai rien à ajouter, dit Mlle Blair. Je bats en retraite.

M. Tucker, qui dansait comme un prince, ne semblait pas prêt de battre en retraite devant Margot, lui. Dès que Mlle Blair était à l'autre bout de la salle, en train de corriger les mouvements des jeunes filles, il arrachait Margot à sa partenaire et l'entraînait dans un fox-trot endiablé, indifférent au sort de l'ancienne partenaire. Les jeunes filles murmuraient : vraiment, il avait là une cavalière à sa mesure. Mlle Blair était trop grande pour lui, et trop sévère. Margot possédait la taille idéale ; le sommet de sa tête arrivait à la hauteur du nez de M. Tucker. Lorsqu'ils dansaient ensemble, les autres élèves en oubliaient leurs pas et les observaient – elles faisaient semblant de danser pour que Mlle Blair ne s'aperçoive de rien et n'interrompe pas le cours.

Un jour, la musique cessa alors que Mlle Blair se trouvait au fond de la salle de gymnastique et M. Tucker, gardant la pose finale, adressa un sourire à Margot.

– Quel ravissant visage, dit-il.

Margot était heureuse, elle aurait pu danser dans la salle de gymnastique, une fois par semaine, jusqu'à la fin des temps. Les autres filles rêvaient de M. Tucker, mais elle n'avait pas besoin de rêver, il l'avait choisie.

Mlle Blair et M. Tucker animaient les bals du Sacré-Cœur, dans la salle de gymnastique décorée par les jeunes filles en vue d'accueillir les garçons d'Hermosa. Mlle Blair appelait les danses, M. Tucker remettait les prix et faisait des annonces. Il en imposait, dans son smoking noir, surtout comparé aux collégiens chétifs. Le cavalier de Margot pour le bal de printemps marquant la fin du deuxième cycle était un garçon nommé Hal Fitzhugh, un joueur de basket. Assorti d'un piètre danseur, toujours empêtré dans ses longs bras et ses interminables jambes. Margot s'efforça de cacher sa déception et Hal prit le large avec d'autres garçons de l'Immaculée-Conception, disant qu'il allait revenir.

Après avoir longtemps attendu seule à une table, dans sa robe de mousseline bleue, lorgnant les autres jeunes filles et leurs cavaliers chevronnés, elle se mit en quête d'Hal. Dehors, il faisait bon, l'air frais de la nuit contrastait avec l'atmosphère étouffante de la salle. Elle trouva Hal derrière le bâtiment, il tendait une flasque à un autre garçon. Il sentait le gin de sa mère.

– Tu sais que c'est défendu, dit-elle.

54

– C'est pas interdit de se marrer de temps en temps.

– On peut s'amuser en dansant, dit Margot – même si c'était loin d'être le cas avec lui.

– Sauf avec toi, mon cœur, dit-il. Tu m'asticotes dès que je fais un pas de travers.

Les autres garçons pouffèrent et Margot se tourna vers eux, exaspérée. Jamais on ne l'avait apostrophée de la sorte.

– Tu es comme ce foutu entraîneur qu'on avait, poursuivit Hal. Un vieil emmerdeur.

Les garçons rirent de plus belle.

– Comment oses-tu !

Hal grimaça un sourire.

– Tu bois un coup ? Il lui offrit la flasque.

Margot pivota sur elle-même et les abandonna – d'un pas qui manquait toutefois d'assurance, tant il est périlleux de marcher dans l'herbe en talons aiguilles –, incapable de parler. Elle en était à se demander si elle allait pleurer ou non lorsqu'elle tourna le coin du bâtiment et se heurta à M. Tucker.

– Monsieur Tucker ! dit-elle, et tous deux s'excusèrent ; il lui saisit le coude pour la maintenir en équilibre.

Ce qu'il advint alors relevait d'une succession chaotique d'images, comme Margot le reconstitua plus tard, mais elle se rappelait le baiser de M. Tucker et l'impression que ses genoux se dérobaient sous elle. Elle s'était aussi souvenue de l'avoir suivi jusqu'à sa décapotable blanche, puis qu'ils avaient roulé et contemplé l'océan, sans trop savoir où. Enfin, elle se souvenait des mains de M. Tucker défaisant la fermeture éclair de la robe en mousseline bleue confectionnée par sa mère, de la douceur de chacun de ses gestes, et d'avoir eu la sensation que toutes les règles du monde avaient été suspendues pour permettre à ce moment d'exister, une parenthèse ô combien délicieuse.

Ensuite, M. Tucker avait disparu, comme toujours à la fin de l'année scolaire, et Margot vaquait à ses occupations, l'esprit ailleurs ; mais en août il devint impossible d'ignorer ce qui se passait dans son corps. Elle savait ce que doit faire une jeune fille en pareille situation, elle informa sa mère. Yvette pleura. Puis elle réconforta Margot, lui assura que tout irait bien. Elle ajouta que certaines choses n'ont pas besoin d'être révélées à tout le monde ; des choses qui ne font que chagriner ceux qui les apprennent, sans leur faire aucun bien. Margot pensait qu'elle devait au moins se confesser et informer son père.

— Non, dit sa mère. Tu peux très bien laisser les prêtres et ton père en dehors de tout ça et t'adresser directement à Dieu.

Sur ce, Yvette prépara la valise de Margot et l'expédia en France.

Les Planchet étaient de lointains cousins de sa mère : une parenté dont plus personne ne connaissait exactement la nature. Ils habitaient Lisieux, en Normandie, dans une ferme en pierre exposée à tous les vents. Chez Margot, on la croyait partie faire sa deuxième année de collège à l'étranger, pour améliorer son français. Rien d'extraordinaire à cela. Les Planchet, eux, étaient au courant de la situation mais ne semblaient pas s'en émouvoir le moins du monde. Ils la reçurent, lui confièrent une série de tâches ménagères. Elle allait au lycée de la ville avec Jean-Pierre Planchet qui avait quatorze ans, encore un enfant, et ne pensait qu'à ses examens.

Jean-Pierre éprouvait du mépris pour le français de Margot et se moquait d'elle. « Elle parle comme un bébé », disait-il à ses parents et elle était tentée de lui donner raison. Il s'adressait à elle en anglais pour faire l'intéressant lorsque les parents Planchet n'étaient pas dans la pièce. Apparemment, personne à l'école n'avait découvert l'état de Margot ; il était de notoriété publique que les Américaines étaient *un peu grosses** et elle portait les robes amples cousues à la hâte par sa mère avant son départ.

M. Planchet adorait l'Amérique et, après quelques verres de vin, il abandonnait sa timidité et parlait anglais. Il adorait aussi le père de Margot, sans l'avoir jamais rencontré, parce qu'il avait piloté un avion de chasse pendant la guerre. Et enfin, il adorait parler des *Chermans*.

— *Germans,* corrigeait Jean-Pierre.

— *Oui, ça. Les Boches*.* Ils construisaient déjà des tanks, en 1936. Et vous, les Américains, vous étiez neutres, au départ, et vous avez fabriqué tellement de tanks – un véritable miracle.

— Il se croit encore sous l'Occupation, disait Mme Planchet. Ne fais pas attention.

— Sans les Américains, les Allemands seraient ici demain, insistait M. Planchet, en anglais. Mais voilà, il y a eu la bombe atomique : on peut leur rendre grâce de ça.

— Ça suffit, disait sa femme.

M. Planchet haussait les épaules.

— *Or you fight, or you lose,* disait-il. C'est la guerre.

— *Either you fight or you lose,* corrigeait son fils.

— *Eh oui!* reprenait-il, *c'est la guerre*.*

Margot n'était jamais malade et avait toujours faim. Elle observait M. Planchet tandis qu'il préparait un assortiment de viandes froides pour le souper avec des gestes délicats. Il lui disait : «Ouvre la bouche et dis merci!», et elle obtempérait. Ce qu'il lui déposait sur la langue était tantôt salé, tantôt riche et onctueux, sucré, parfois. «C'est fait avec des porcs espagnols, nourris uniquement de figues!», disait M. Planchet, ou simplement : «C'est bon pour ce que tu as!»

Dans la cuisine des Planchet trônait un pot en terre cuite rempli d'une substance rouge foncé semblable à du foie cru à moitié immergée dans un liquide rouge, on l'appelait *la mère**. Après le déjeuner et le souper, Mme Planchet débarrassait les assiettes et les verres, et vidait les fonds de vin rouge dans le pot pour nourrir la mère. C'était un genre de champignon qui traitait le vin, expliqua-t-elle, et du bon vinaigre rouge vif sortait du robinet, au bas du pot en terre. Margot ajoutait consciencieusement les restes de vin et l'odeur puissante du vinaigre lui piquait les narines mais, après l'avoir fait une fois, elle avait cessé de s'intéresser à la croissance de cet organe luisant. Elle refusait d'avoir quoi que ce soit en commun avec une chose tellement grotesque, affublée d'un nom aussi embarrassant.

Le dimanche, la famille assistait à la messe dans la nouvelle basilique dédiée à Thérèse Martin, où la jeune sainte plongeait le regard sur eux. Thérèse était entrée au couvent à quinze ans car elle savait à quelles tentations sont exposées les jeunes filles, disait Mme Planchet. « Se marier avec l'époux des vierges, tu parles d'une vie. Tu es mieux lotie, *chérie**. »

Après la messe, Margot aidait à préparer le déjeuner du dimanche et servait le vin. Elle se mit à rêver en français, elle s'étonna d'avoir jamais envisagé son existence sans ce détour du cours normal des choses. Car, à n'en pas douter, ce n'était qu'un détour, un long rêve français riche en événements, et tout rentrerait dans l'ordre dès qu'il serait achevé.

5

L'annonce de la grossesse de sa femme plongea Teddy dans une colère noire. Elle était censée surveiller les périodes où elle ne risquait rien. Les deux filles étaient au collège, expédier Margot en France avait coûté une fortune et Teddy aurait bientôt à payer l'inscription à l'université. Yvette avait trente-cinq ans et lui quarante et un. La dernière chose dont ils avaient besoin, c'était bien un bébé. Il n'était pas encore remis de sa colère qu'il se rendit compte qu'Yvette non plus ne voulait pas d'un autre enfant.

— C'est notre enfant! dit-il.

— Tu viens de dire que tu n'en veux pas.

— J'ai dit que le moment était mal choisi.

— Ce qui revient à dire que tu n'en veux pas, dit Yvette. Je sais ce qui me reste à faire, je m'en occupe.

— Non! dit Teddy. Je veux dire, si, occupe-toi de lui. Garde-le, ce serait un crime, sinon.

— Je n'ai jamais dit le contraire, dit Yvette.

Teddy leva la main, prêt à la frapper – chose qu'il n'avait jamais faite – mais elle le fixa avec un calme absolu, assise au bord du lit. Il se demanda comment il avait pu croire un instant qu'elle lui appartenait. Elle était elle-même, à part entière. Il s'agenouilla à ses pieds, lui prit les mains.

– C'est aussi le mien, dit-il. Cet enfant, c'est le mien.

Yvette se leva, s'éloigna ostensiblement.

– Là n'est pas la question, dit-elle. Nous n'avons pas les moyens d'avoir cet enfant. Ce serait égoïste.

Elle s'arrêta sur le pas de la porte de la chambre et se tourna vers lui – dans sa pose de pin-up, le sourire en moins, un dentiste avait de toute façon réparé la dent ébréchée qu'il aimait tant. Plus aucune fissure dans son armure.

– Je vais préparer le dîner, lança-t-elle.

Teddy resta agenouillé sur la moquette qu'il avait lui-même posée. Il en distinguait chacun des brins, les sombres et les clairs, dont la fusion donnait un gris vert pâle, à une certaine distance. Il finit par se remettre péniblement debout, décidé à avoir une discussion rationnelle concernant cet enfant dont il ne voulait pas spécialement. Il se dit que ce serait peut-être un garçon, que ce serait bien d'avoir un fils. S'étant mis cette idée en tête, l'empressement d'Yvette à tuer cet enfant l'aveuglait de rage. Il l'entendait mettre la table dans la salle à manger : le cliquetis des couverts, le bruit des assiettes.

6

Après une heure d'affrontement au sujet de la grossesse imaginaire, Teddy lança la lourde fourchette de service à travers la pièce – pas directement sur Yvette, suffisamment fort toutefois pour laisser une marque dans le mur, derrière elle. En entendant l'impact, Yvette sut qu'elle avait gagné.

Elle dit à Teddy qu'elle acceptait de garder l'enfant mais qu'elle refusait de vivre avec un lanceur de couverts. Elle avait besoin d'être seule. Margot séjournait en France et Clarissa était capable de se prendre en charge, entre le collège, ses leçons de natation et ses devoirs. Yvette remplit le freezer de plats mijotés et dit à Teddy de se débrouiller lorsque le stock serait épuisé.

À Santa Rosa, une sœur du Holy Name l'attendait à la gare. Une femme âgée en habit noir, expansive et bien en chair, portant des lunettes bon marché. Elle étouffa quasiment Yvette en la serrant dans ses bras, sur le quai.

— Vous allez vous plaire ici, dit la nonne. Je peux déjà vous l'assurer.

Elle souleva la valise d'Yvette avec une vigueur surprenante et la fit monter à bord d'un vieux break.

— J'espère que vous avez emporté un gilet, dit-elle. La maison est un peu fraîche, la nuit.

Installée sur le siège passager, Yvette répondit au flot de questions de la sœur à propos de sa prétendue dépression assortie d'une crise spirituelle. La nonne lui apprit qu'elles priaient pour elle depuis qu'elle les avait contactées et qu'un vote unanime avait autorisé sa venue. Elle serait l'hôte du couvent, durant sa retraite, moyennant un don minime pour la chambre et le couvert. On attendait d'elle une petite participation aux travaux domestiques.

— Les tâches domestiques peuvent être envisagées comme une forme de prière, dit la nonne. Je les vois ainsi, personnellement. Elles vous rapprochent de Dieu.

Yvette répondit qu'elle ne souhaitait rien d'autre. Un livre circulait dans son école, au Canada : un petit volume broché gris intitulé *Convent Cruelties*. Il appartenait à Marie Rémy, une camarade de classe qui avait un cousin protestant en Amérique. L'ouvrage illustré de dessins à la plume retraçait l'histoire d'une jeune fille de Pennsylvanie kidnappée par des nonnes qui la battaient et l'affamaient dans le sous-sol d'un couvent. Elle était condamnée à faire d'interminables lessives, boire des potages exécrables et coudre des vêtements vendus par le couvent.

En comparaison, Holy Name était plutôt décevant. Une bâtisse victorienne de deux étages, un genre de préfabriqué datant du début du siècle. La Mère supérieure, plus grande que la première sœur mais aussi âgée, avec un long visage entouré de sa guimpe, conduisit Yvette à une chambre meublée d'un lit à une place, donnant sur l'arrière. En voyant les rideaux cousus main, Yvette repensa à *Convent Cruelties* – ce qui était idiot. Après tout, faire de la couture n'aurait rien de déplaisant. Soudain, elle se demanda avec inquiétude comment elle passerait le temps.

La plupart des sœurs étaient âgées, mais deux novices en robe blanche n'avaient pas encore revêtu l'habit : une jolie fille potelée nommée Maria-José et sa timide cousine, Teresa. Elles avaient dix-neuf ans et faisaient la fierté de la Mère supérieure : rares étaient les couvents abritant encore des novices. Yvette aidait les jeunes filles à la buanderie, une activité assez limitée. En une semaine, Margot et Clarissa, entre les entraînements de natation, les serviettes de plage, les jupes de leurs uniformes et les vêtements portés après l'école, produisaient plus de lessive que l'ensemble des nonnes sur la même période. La buanderie était une pièce lumineuse dotée d'une fenêtre surplombant la vallée et Yvette s'y attardait pour bavarder. Maria-José avait probablement décelé son ennui car elle lui proposa de fumer une cigarette derrière l'appentis où étaient remisés les outils de jardinage.

Au début, Yvette ne fumait pas. Elle se rendait derrière l'appentis pour le plaisir futile, illicite, de se trouver là – elle, une adulte, en compagnie de gamines de l'âge de ses filles. Mais Maria-José, avec son irrésistible visage poupin, n'en démordait pas et elle persuada Yvette de tirer une bouffée. La cigarette lui sembla si fragile entre ses doigts, le papier tellement fin et sec au contact de ses lèvres qu'Yvette fut surprise par la fumée brûlante au creux de ses poumons et le goût amer et piquant du tabac. Immédiatement prise de vertige, elle rendit la cigarette en souriant à Maria-José et Teresa. Quelles adorables filles. Elle les rejoignait chaque jour derrière l'appentis, entre les corvées et les prières, pourtant, deux mois s'écoulèrent avant qu'elle ne fume sa première cigarette en entier.

– Tu as l'air d'une star de cinéma, avec ça, dit Teresa.

– Une star amoureuse, rêveuse, fit Maria-José. Yvette, perdue dans ses rêves.

– Je suis très sensible aux drogues, bredouilla Yvette en butant sur les mots. Les filles se mirent à rire.

– *Drogas!* Maria-José pouffa. C'est juste une cigarette!

Adossée au mur de l'appentis, Yvette fumait en les écoutant, étonnée qu'elles soient à peine plus âgées que ses propres filles. Maria-José parlait de sa famille : son grand frère, qui s'était fait prendre en train de cambrioler un magasin armé d'un tournevis, sa jeune sœur, encore petite. Teresa racontait à quel point elle appréciait d'avoir une chambre à elle après avoir dormi par terre chez sa cousine. Les jeunes filles la quittaient en l'embrassant avant de retourner à leurs occupations et Yvette regagnait sa chambre, encore étourdie par la cigarette. Elle s'agenouillait, l'esprit troublé, devant la fenêtre qui donnait sur le cimetière et essayait de prier.

Elle commençait par le commencement. Elle demandait pardon pour avoir défié son père en épousant Teddy. Son père l'adorait, il ne voulait pas la voir partir aussi loin, voilà tout. Elle avait agi à la légère, certaine que son père changerait d'avis, ce qu'il n'avait jamais fait. Il était resté figé dans sa réprobation, là-bas au Canada, et elle dans son opposition, et elle avait perdu cet être autrefois au centre de son existence.

Puis elle demandait pardon pour l'horrible épisode du photographe parce qu'elle savait qu'au fond de lui Teddy la croyait toujours capable d'infidélité. Si elle reconnaissait sa faute, dans le déroulement de l'incident, elle attendait de Dieu qu'il comprenne combien elle regrettait d'en avoir parlé à Teddy. Dieu voyait dans chaque cœur et dans chaque esprit, Il savait comment la situation avait dérapé.

Elle demandait encore pardon de ne pas s'être suffisamment occupée de ses filles, trop prise qu'elle avait été par son couple. Et elle priait parce qu'elle avait menti à Teddy à propos de la grossesse, même si elle n'en éprouvait aucun remords. En proposant de se débarrasser de l'enfant, elle avait fait naître en lui, comme prévu, une terrible envie de le garder. Elle rentrerait avec l'enfant de Margot et tout irait bien, et Teddy en viendrait à aimer cet enfant, pensant qu'il était de lui. C'était le point essentiel – qu'il parvienne à aimer l'enfant de tout son cœur. Ce serait déterminant. Elle espérait que ce soit un garçon.

Elle venait d'achever ses prières, encore grisée par la Chesterfield de Maria-José, lorsqu'elle ressentit soudain la charge de tout ce qu'elle avait entrepris de taire à Teddy assortie d'une forte poussée ascensionnelle vers le sommet de sa tête. Elle retint son souffle et baissa les yeux, découvrant sa propre silhouette agenouillée devant la fenêtre, en dessous d'elle. Elle distinguait en détail la raie au milieu de ses cheveux noirs, sur le haut du crâne : la ligne zigzaguait légèrement. Elle ne percevait plus aucune douleur dans les genoux – elle n'éprouvait plus rien. Elle intima à son corps de lever la tête mais il demeura dans une attitude de prière tandis qu'elle flottait au-dessus de lui. Cette sensation dura de longues minutes et elle crut qu'elle était en train de mourir. Puis elle réintégra son corps en ayant confusément l'impression de sortir d'un rêve.

Ce soir-là, dans le petit réfectoire attenant à la cuisine, elle dîna sans appétit. Les vieilles nonnes mangeaient lentement, avec application, attentives à la petite voix claire de Sœur Joan lisant *L'Imitation de Jésus-Christ*. Teresa et Maria-José lançaient à Yvette des regards conspirateurs, comme à l'accoutumée, elle était cependant trop agitée pour leur répondre. Lorsqu'on eut débarrassé les tables, Yvette se dirigea vers le bureau de la Mère supérieure et frappa à la porte.

– Oui ? répondit la voix de la Mère supérieure et Yvette pénétra dans la pièce.

Elle sentait son cœur battre, toujours sous le choc de ce qui s'était passé. Dieu, dont elle n'attendait rien, l'avait surprise en se manifestant à elle pour la première fois de sa vie. Elle n'avait jamais rien éprouvé de tel, pas même à la naissance de ses filles. Elle s'était retrouvée suspendue dans l'air.

La Mère supérieure l'observa longuement, à la fin de son récit, et son visage parut s'allonger encore plus.

– Vous restiez attachée à votre corps ? demanda-t-elle.

– Il y avait toujours un lien, dit Yvette. C'est grâce à cela que j'y suis revenue.

– Et vous étiez en train de prier, lorsque cela s'est produit?

Yvette hocha la tête.

– De quoi s'agissait-il?

– Oh... de tout. Je n'avais jamais prié aussi longtemps, auparavant.

– Et vous aviez déjeuné? demanda la Mère supérieure.

Yvette la regarda, déconcertée. Elle ne parvenait pas à s'en souvenir.

– Oui! dit-elle enfin. Naturellement. Nous avons eu de la soupe. La lecture était un texte de saint Augustin.

La vieille nonne acquiesça, pensive.

– Mais la nourriture n'a rien à voir avec cela, enchaîna Yvette. J'étais sortie de mon corps.

– Oui, je sais, dit sèchement la nonne. Vous êtes priée de ne plus recommencer.

Yvette était assise, les mains sur les genoux.

– Ce sera une condition à votre séjour ici, dit la Mère supérieure.

Elle rassembla quelques papiers épars sur le bureau pour signifier à Yvette la fin de l'entretien.

– C'est à vous de décider si vous restez ou non.

Yvette se leva lentement. Où irait-elle?

– Et plus de cigarettes avec les novices, dit-elle. Elles vous admirent. Vous êtes une femme adulte. Cela ne fait que les encourager.

Yvette passa le plus clair de son temps dans sa chambre, après cela, durant trois longs mois ; elle se taisait pendant les repas et n'adressait la parole à la Mère supérieure qu'en cas d'absolue nécessité. L'hiver avait amené la pluie et la boue, se promener devint désagréable. Elle avait l'impression d'être réellement enceinte, allongée sur son lit, conformément aux ordres. Elle gardait les mains posées sur son ventre plat et doux, comme s'il abritait effectivement cet enfant dont elle décrivait les progrès imaginaires dans ses lettres à Teddy. Ce n'était pas vraiment un mensonge car un bébé était bel et bien en train de se développer selon ses descriptions – simplement, cela se passait en France. Elle écrivit à Teddy que son état l'empêchait de rentrer pour Noël – ce qui n'était pas faux, en un certain sens – et qu'il devrait rester à la maison et offrir à Clarissa une certaine stabilité. Elle lui dit quels cadeaux acheter. Elle avait fini par comprendre que Teddy détestait les secrets dès qu'il sentait que quelque chose lui échappait. Tant qu'elle l'informerait en détail, sans paraître mystérieuse ou réservée, il ne se poserait pas de question sur son séjour chez les nonnes.

Il pleuvait sans cesse et elle lut en entier la Bible posée sur sa table de chevet, étonnée de voir à quel point elle la connaissait par cœur. Elle lut et relut l'autobiographie de sainte Thérèse de Lisieux dénichée à la bibliothèque du couvent. Elle s'attardait sur la vision qu'elle avait eue de la

Vierge, à laquelle les carmélites avaient refusé de croire, et sur sa représentation d'elle-même telle une petite fleur dans le jardin de Dieu, aimée à l'égal des magnifiques roses en dépit de ses fautes. L'angoisse et les doutes de la jeune fille résonnaient en elle comme un écho mais la sainte les avait surmontés en s'imaginant être le jouet d'un Dieu tout-puissant. Yvette en fit autant et se sentit moins abattue. Elle avait renoncé aux cigarettes derrière l'appentis avec Maria-José et Teresa, et le sacrifice lui procurait un certain plaisir. Les novices lui lançaient des regards blessés à la table du souper mais Dieu avait parlé à Yvette et Sa compagnie lui suffisait.

Le moment venu, elle emprunta de l'argent à sa sœur pour se rendre en France, à l'insu de Teddy. Pendant la durée du vol au-dessus de l'Atlantique, elle regarda par le hublot, priant pour que rien ne la trahisse.

Margot était devenue adulte, la voir enceinte avait un côté choquant. Avant tout elle était belle et Yvette se sentit fière d'elle. Manifestement, les Planchet l'adoraient, surtout le père. Margot – toujours ponctuelle – commença à avoir des contractions trois jours après l'arrivée d'Yvette et, à l'hôpital, sa mère écarta ses cheveux de son visage en sueur en s'entretenant avec les médecins paisibles et séducteurs dans un français rouillé. Elle déclara la naissance à la *mairie** où un officier d'état civil nota sans suspecter quoi que ce soit: « *Né du père, Santerre,*

Théodore James, directeur des affaires aéronautiques, de nationalité américaine, et Grenier, Yvette, épouse Santerre, de nationalité canadienne, à Lisieux, Calvados, un fils, James Théodore, ce quatrième jour de février 1959*.»

Elle se rendit à la basilique de sainte Thérèse pour remercier sa petite fleur. S'étant assurée que personne ne la voyait, elle baisa le pied en pierre de la ravissante sainte. Margot avait retrouvé d'un coup sa silhouette de jeune fille et n'entendait pas s'occuper de l'enfant; elle voulut rester et terminer son année scolaire au lycée, au grand soulagement d'Yvette.

Lorsque le nouveau-né fut en âge de voyager, Yvette prit congé des Planchet et retrouva Teddy, en mère radieuse accompagnée d'un petit garçon. Elle répondit sans problème aux quelques questions qu'il posa. Dans sa gratitude d'avoir pu mener à bien toute l'affaire, elle organisa immédiatement le baptême, et renoua avec les dominicains corps et âme. Dieu l'avait élevée à Lui, l'espace d'un instant, et elle Lui appartenait.

7

La violence de l'amour qu'elle vouait à son petit frère
– une fois résolue à accepter son existence – fut une révé-
lation pour Clarissa. Partout où il se trouvait, elle le
voyait nimbé de lumière. Jamais elle n'avait aimé personne auparavant, elle s'en rendait compte maintenant ;
elle éprouvait le fameux amour dont parlent les gens. Sa
dévotion servile à son père paraissait froide et stérile, en
comparaison. Sa mère se bornait à être sa mère, et aimer
Margot relevait de l'impossible. Jimmy Vaughan avait su
la faire frissonner mais il ne l'avait jamais remplie de
cette douce chaleur lancinante. Elle le promenait pendant des heures à travers la maison, lorsqu'il avait des
coliques, et il lui semblait que son cœur gonflait, s'épa-
nouissait au contact de sa petite tête sur son épaule. Elle
lui donna le biberon, puis d'onctueuses bouillies orange
et vertes et enfin des pommes et du fromage. Elle jouait
avec lui sur le tapis, construisait des tours avec des cubes

et tirait sur la ficelle d'un canard en bois monté sur roulettes pour faire pirouetter inlassablement les œufs qu'il charriait sur son dos. Margot, absorbée par ses cours de danse, ses sessions universitaires et ses lectures aux aveugles, jetait à peine un regard en direction du tapis où ils étaient assis. Et si elle le faisait, son expression reflétait un embarras mêlé de dédain.

Jamie avait trois ans lorsque Clarissa reçut son diplôme du Sacré-Cœur en robe bleue et gants blancs, les bras chargés de roses, et accomplit sans trébucher une révérence apprise par Mlle Blair devant l'évêque, dans la chapelle. L'année précédente, elle avait vu Margot dans le même cérémonial et elle s'imagina que sa sœur la voyait à son tour, bien que celle-ci ait téléphoné de l'université de San Diego, où elle avait obtenu une bourse, pour dire qu'elle ne viendrait pas.

Dès qu'elle avait entendu parler de la bourse de Margot, Clarissa avait décidé de ne pas s'inscrire à l'université de San Diego ni dans aucun autre établissement catholique. Elle n'en démordrait pas, même si ses parents la jetaient à la rue, ce qu'ils ne firent pas. Ils étaient heureux et prospères ; son père avait reçu une promotion et sa mère lisait les textes sacrés, à l'église. Un catholique élégant et charmant, héros de la guerre et marié à une femme splendide, venait d'être élu Président grâce aux voix de ses parents qui, pour la première fois de leur vie, n'avaient pas voté républicain. En étant reçue à l'examen d'entrée de la UC–San Diego, une université d'État si proche de celle, catholique, de Margot, Clarissa pensait administrer une gifle à ses parents. Loin d'être surpris, ils haussèrent les épaules, résignés, et Clarissa ressentit une légère déception.

Le jour de la rentrée, Clarissa rencontra Henry Collins et sa vie prit un tournant décisif. Il était demi dans l'équipe de football et étudiant en biologie, avait des cheveux couleur sable et des yeux verts. Il l'avait remarquée alors qu'elle faisait la queue aux inscriptions et elle s'était retrouvée dans son lit moins d'un mois plus tard, vaincue par sa force de persuasion. Elle lui dit qu'ils ne pouvaient pas vraiment faire l'amour parce qu'elle ne voulait pas d'enfant, ce qui fit rire Henry.

– Il existe des solutions, tu sais, dit-il.

Mais Clarissa était trop gênée pour continuer sur le sujet et Henry affirma qu'il se montrerait patient.

La maison que louait Henry possédait une immense baignoire à pattes de lion, assez spacieuse pour deux personnes. Adossée à son torse dans l'eau déjà tiède, alors qu'ils étaient censés résoudre des problèmes de physique, Clarissa lui raconta comment les sœurs l'avaient convaincue que le pain devenait réellement le corps du Christ et le vin, son sang. Au Sacré-Cœur, la sœur Béatrice lui avait cité les paroles du cardinal Newman, au dix-neuvième siècle : «Et pourquoi pas? Qu'est-ce qui s'y oppose? Que savons-nous de la substance ou de la matière?»

Henry s'esclaffa et lui demanda si la sœur Béatrice enseignait la physique ou la chimie.

— Non, l'histoire, dit-elle.

— Et le professeur de physique savait des choses, sur la substance et la matière?

— Oui, dit-elle.

— Lesquelles?

— Oh, la vitesse et la gravité, dit-elle. Et que l'hostie devenait le véritable corps du Christ.

L'eau refroidissait et elle se pencha en avant pour ouvrir le robinet d'eau chaude, et pour que le bouillonnement de l'eau empêche Henry de se moquer d'elle. Puis elle referma le robinet et se rallongea contre lui.

— Tu crois en quoi? demanda-t-elle.

— À ça, dit-il en passant une main mouillée sur son sein.

Elle lui prit la main et la garda un moment. Elle était deux fois plus grande que la sienne.

— Sérieusement, je veux parler de la foi.

Après un silence, Henry poursuivit lentement :

— Je crois, dit-il, que les gens peuvent améliorer leur situation si on leur en donne la possibilité.

— Lorsque tu es sur le terrain de foot, dit-elle, et que des monstres de cent trente kilos te foncent dessus pour t'écraser, tu crois à quoi?

— À la vitesse, dit-il. Et à la gravité.

— Arrête.

Il se tut et traça des dessins humides sur la peau de Clarissa.

— Mon père était enfant de chœur, dit-il.

— C'est vrai?

Une nouvelle surprenante, qui pourrait lui servir auprès de sa mère.

— Il ne croit plus à tout ce fatras, dit-il. Il prétend être un *Great Westerner* – il a la foi dans un Dieu du style de celui des cow-boys, du temps où il n'y avait pas d'églises. On ne lui doit rien et on ne doit rien en attendre, il est la force inhérente aux choses. Je pense que je crois à quelque chose comme ça.

— Je pourrais être *Great Westerner*, moi aussi? demanda Clarissa.

— Tourne-toi.

Clarissa obéit, faisant déborder la baignoire, et se glissa contre lui. Il dessina un cercle sur son front, de son pouce humide.

— Je te baptise au nom de la sauvegarde de l'énergie, dit-il. Ce que tu sèmes, tu le récolteras.

Elle souriait trop pour pouvoir l'embrasser. Elle avait été baptisée *Great Westerner* et avec Henry, l'envie d'être revêche disparaissait. Dans l'émotion qu'elle éprouvait à présent s'additionnaient les sentiments suscités par la naissance de Jamie et ceux provoqués par Jimmy Vaughan. Et puis Henry avait la solidité du roc, il donnait l'impression d'être là pour toujours.

Elle le présenta à sa famille, et Jamie devint fou de lui, comme elle l'avait prévu. Bien qu'il n'eût pas encore cinq ans, Jamie aspirait au statut d'adolescent et voyait dans Henry une source masculine d'informations. Ses parents restaient prudents ; Henry taquinait sa mère et prenait son père de haut. Margot était indifférente. Henry n'était pas tombé amoureux d'elle, c'était le principal – d'ailleurs, il ne la prenait pas au sérieux. Il n'en fallut pas plus pour en finir avec la virginité de Clarissa et elle se sentit soulagée de n'avoir plus rien à protéger ni à perdre lorsque ce fut fait.

Au mois de juin, Henry fut engagé dans un laboratoire de recherche à deux pas de chez Clarissa. Margot suivait un stage d'été et Clarissa demanda à ses parents si Henry pouvait loger dans la chambre de sa sœur. Le soir, Teddy restait debout pour s'assurer qu'Henry et Clarissa allaient dormir chacun dans leur chambre, ce qu'ils faisaient. Mais chaque nuit, Clarissa traversait furtivement le couloir, jusqu'à l'impeccable chambre blanche de sa sœur. Elle abandonnait sa chemise de nuit sur le sol et se glissait sous le couvre-lit blanc en chenille où l'attendait le corps tiède et nu d'Henry. C'était un corps à corps fougueux, des exhortations au silence ; chacun trouvait finalement sa place et parfois l'idée de se glisser dans la peau de Margot suffisait à la transporter totalement – Margot vêtue seulement de socquettes blanches, aux jambes douces et virginales désormais souillées. Puis elle redevenait elle-même, se conduisant de manière scandaleuse dans le lit de Margot.

Au petit matin, elle réintégrait sa chambre et, une heure plus tard, Jamie arrivait en courant, sautait sur Henry et escaladait la montagne de chenille blanche. Il faisait des bonds en chantant :

– Deeeebout, c'est l'heure, donne de l'eau à tes chevaux, et du maïs, isse, isse !

– Mes chevaux n'ont pas soif, marmonnait Henry en se bouchant les oreilles.

– Debout, c'est le matin, donne de l'eau à tes chevaux…

– J'ai pas de maïs.

– Debout ! C'est le matin !

Un énorme bras couvert de taches de rousseur émergeait des draps et réduisait au silence la source du bruit. Jamie se tortillait et se débattait pour retrouver sa liberté en criant à tue-tête : « Donne de l'eau à tes chevaux ! Et du… », jusqu'à ce qu'Henry le fasse rouler par terre, emballé dans le dessus-de-lit.

À son arrivée dans la cuisine, à moitié endormie dans son peignoir de bain, Clarissa trouvait Jamie collé à Henry qu'il soumettait à un feu nourri de questions – Quel est le meilleur groupe, les Beatles ou les Rolling Stones? Qui est le meilleur de tous les guitaristes? Est-ce que le rouge des pommes au sucre est plus beau que le vert du gazon anglais?

– Laisse Henry tranquille, disait le père de Clarissa.

– Teddy, disait sa mère sur le ton de la mise en garde, depuis ses fourneaux.

– Mais écoute-le! rétorquait Teddy. Il n'arrête jamais!

Henry les ignorait et renversait Jamie la tête en bas, avant de le remettre à l'endroit et de le caler sur sa chaise, à la table de la cuisine, rouge et grimaçant de plaisir. Les explications suivaient:

– Les Stones ont imité les Beatles qui imitaient Elvis qui avait imité les chanteurs noirs du Sud.

– Comme qui?

– Kokomo Arnold, disait Henry. Big Mama Thornton. Je t'apporterai les disques.

– Ils sont bons?

– C'est les meilleurs.

– OK.

– Le vert gazon anglais, poursuivait Henry, convient très bien à certaines voitures, la MG décapotable, par exemple, mais la Ford Mustang est faite pour être rouge comme les pommes au sucre.

Jamie hochait pensivement la tête et emmagasinait ces faits irréfutables tout en prenant son petit déjeuner.

La mère de Clarissa restait réticente, à propos d'Henry, mais tout cela faisait partie de l'été, comme le rituel du matin, avec Jamie. Henry faisait du charme à Yvette, elle essayait de le remettre à sa place lorsqu'il la taquinait, sans pouvoir finalement se retenir de rire. Et chacun de rire encore plus, y compris Teddy qui aboyait nettement moins contre Jamie de sa grosse voix de marine.

— Vous n'êtes pas chez vous, Henry, lui disait Yvette quand il alignait ses mouillettes de pain grillé en ordre de bataille pour en découdre avec celles de Jamie et prendre d'assaut l'œuf à la coque de l'adversaire. Mais les mouillettes de Jamie se défendaient vaillamment, des éclats de miettes beurrées volaient alentour et Henry, absorbé par son combat, n'écoutait pas Yvette.

— Il te fait beaucoup d'ombre, dit Yvette tandis qu'elle pliait la lessive avec Clarissa. Tu vas perdre ton éclat, avec lui, et tu en souffriras.

Clarissa soupirait, imperméable à ces commentaires tandis qu'elle pliait les draps blancs propres dans lesquels elle avait dormi avec Henry, persuadée que sa mère avait tort.

À la rentrée scolaire, en automne, Henry promit à Jamie de l'emmener faire un tour en bateau afin qu'il arrête de leur lancer des regards douloureux de chien abandonné. Par un vendredi ensoleillé et venteux de novembre, ils roulèrent vers le nord jusqu'à Hermosa

Beach pour aller chercher Jamie. Henry entra dans la maison des parents de Clarissa sans frapper, comme il le faisait toujours.

– Holà les gars! cria-t-il. Qui veut être capitaine de mon bateau de pirates!

Jamie traversa la maison en hurlant:

– MOI!

Clarissa ne savait pas naviguer et il devint vite évident qu'Henry non plus. Ils viraient rapidement de bord dans le port, en se cognant maladroitement les uns aux autres sur le voilier de location long de cinq mètres lorsqu'ils percutèrent le yacht le *Grocery Boy* dont ils endommagèrent la coque. Clarissa faillit passer par-dessus bord et le skipper du *Grocery Boy* les injuria, du haut de son bateau. Henry conserva son calme et son sang-froid et s'efforça d'apaiser l'homme tandis qu'ils regagnaient le quai tant bien que mal.

Ils rentrèrent avec Jamie, secoués et étourdis par le vent, dans une maison silencieuse. Clarissa, guidée par le son étouffé de la télévision, trouva ses parents les yeux rivés au poste.

– Oh, ma chérie, dit sa mère. Le Président a été assassiné.

Clarissa observa sur l'écran scintillant le passage de la décapotable et la belle Jackie pivotant sur elle-même. Elle expulsa sans ménagement Jamie hors de la pièce.

Les jours qui suivirent furent lestés de tristesse. Ses parents étaient anéantis, sa mère avait trop de chagrin pour cuisiner et le dîner se réduisait à des sandwichs. À Thanksgiving, Margot vint accompagnée de son petit ami, Owen, tous demeuraient pourtant abattus et taciturnes. Clarissa étudia Owen dans la cuisine et à table, pendant le dîner. Jamais elle ne croisait Margot à San Diego et jamais elle n'avait rencontré son petit ami. C'était un étudiant en chimie, paisible et poli envers ses parents, qui ne parlait que lorsqu'on lui adressait la parole. Yvette le bombarda de questions, s'efforçant de le faire sortir de sa réserve, et il leur apprit qu'il avait grandi à Chicago et que son père était lui aussi chimiste. Ses parents étaient méthodistes mais il voulait élever ses enfants dans le catholicisme – du moins hocha-t-il la tête lorsque Margot affirma qu'il en avait l'intention. Après la tarte au potiron, Margot annonça leurs fiançailles et chacun parut soulagé d'avoir quelque chose à fêter.

Cette nuit-là, lorsque Clarissa se glissa dans le couloir en direction de la chambre de Margot, ce n'était pas pour rejoindre Henry. Il dormait dans la chambre de Jamie, par terre dans un sac de couchage, et Owen était couché sur le canapé du salon. Clarissa frappa doucement à la porte de la chambre de sa sœur et Margot replia ses lunettes et ferma son livre pendant que Clarissa grimpait à l'extrémité du lit.

— Tu es amoureuse de lui ? demanda Clarissa.

— Oui, dit Margot.

— Pourquoi ?

— C'est quelqu'un de bon et de gentil.

Clarissa ramena ses genoux sous sa chemise de nuit.

— Je veux un enfant, et je veux commencer ma vie, dit Margot. Owen sera un merveilleux père.

Clarissa ne s'était jamais demandé quel genre de père ferait Henry – elle s'intéressait essentiellement à lui en tant que petit ami.

— J'ai l'impression d'avoir déjà eu un enfant, dit-elle.

Margot lui lança un regard perçant.

— Parce que nous étions assez grandes pour prendre soin de Jamie, dit Clarissa.

En le disant, elle se rappela que Margot ne s'était jamais occupée de Jamie.

— Quand c'est le tien, c'est différent, dit Margot.

Clarissa haussa les épaules et bâilla, saisie d'une brusque envie de dormir. Elle avait pris l'habitude de coucher dans la chambre de Margot, avec Henry, mais elle n'allait certainement pas partager le lit de sa sœur. Légèrement étonnée par la demande, elle accepta cependant d'être demoiselle d'honneur et regagna sa chambre. Margot partit le lendemain matin et Clarissa aida sa mère à changer les draps et les serviettes.

— J'aurais juré qu'elle épouserait un catholique, dit

Yvette. J'en étais vraiment sûre. Cela dit, Owen a l'air d'un garçon charmant, non?

Clarissa répondit par l'affirmative.

– Margot sera magnifique, en mariée, dit sa mère. J'en suis encore toute triste et chamboulée.

Clarissa dit qu'elle comprenait.

Pendant qu'ils chargeaient la coccinelle d'Henry en prévision de son retour à l'université, Jamie allait et venait d'un bout à l'autre du trottoir sur son vélo équipé de deux petites roues à l'arrière. À chaque fois qu'il arrivait au niveau de la voiture, il s'arrêtait, les observait et disait «Au revoir». Puis il s'éloignait en pédalant pour revenir ensuite. «Bonne route,» disait-il alors. Jusqu'au coin suivant et retour: «Salut.»

– Tu l'as déjà dit! s'écria Clarissa d'une voix cassante.

Jamie la dévisagea, décontenancé. Il baissa les yeux.

– Oh mon trésor, excuse-moi! dit Clarissa.

Elle lui tendit les bras mais il s'en alla, d'un coup de pédale.

À l'arrêt suivant, il demanda:

– Henry ne peut pas rester ici?

Henry souleva Jamie de son vélo et l'installa sur ses épaules mais le garçon demeura perché là-haut amorphe et malheureux.

– Je vais te dire un truc, mon grand.

– Quoi? La voix de Jamie était pleine de suspicion.

– Je serai de retour avant même que tu t'en rendes compte.

– Menteur.

– Je dois passer devant le tribunal.

Le propriétaire du *Grocery Boy* avait porté plainte contre Henry dont le nom figurait sur le contrat de location.

– Tu es mon témoin vedette.

– C'est même pas vrai.

Henry déposa Jamie à terre et le regarda, les mains à plat sur ses épaules.

– Tu veux que je te laisse *Meet the Beatles* ? demanda-t-il. Ça, tu peux être sûr que je reviendrai le chercher.

Jamie étudia la proposition puis acquiesça et ils prirent solennellement place sur le siège arrière de la coccinelle pour passer en revue la mallette de trente-trois tours d'Henry. Assise au bord du trottoir, Clarissa se sentait coupable de n'avoir qu'une seule envie : quitter la maison, la rue, son petit frère sur son vélo, le chagrin de ses parents, la répétition des images à la télévision, le voisinage, la jetée, la plage, et se retrouver sur l'autoroute avec Henry, heureuse et libre, en route vers un Sud sans télévision, avec ses quiz hebdomadaires, et un lit dans lequel elle n'était pas Margot mais elle-même.

Enfin, ils réussirent à partir et Henry détacha ses yeux de la route pour l'embrasser, au risque d'emboutir une voiture garée le long de la rue. D'un geste vif il redressa le volant et sembla effrayé, l'espace d'une seconde, puis il sourit et lui pressa la main. Elle sentit l'adrénaline refluer. Il était invincible. Il était imperturbable. Il était à elle. Il pouvait lui faire autant d'ombre qu'il voulait, elle était bien dans son ombre.

8

Lorsqu'elle y pensait, Yvette se disait que l'arrivée de chaque nouvel enfant modifie irrévocablement les familles. En tant que mère de Jamie, elle ne ressemblait guère à la femme qui avait été la mère de Margot, ou la mère de Margot et Clarissa. Par exemple, cette Yvette-ci passait ses après-midi à boire des Thunderbird dans le jardin.

Les femmes la fréquentaient plus volontiers maintenant qu'elle avait atteint la quarantaine et elle s'était fait des amies dans les maisons voisines. Elles bavardaient en buvant et surveillaient les enfants jusqu'à ce que Teddy et les autres pères rentrent, signe qu'il était temps de préparer le dîner. Yvette ignorait que le Thunderbird était la boisson des clochards ; ces dames l'achetaient elles-mêmes et choisissaient, par conséquent, une chose sucrée et bon marché. Un breuvage proche du vin de communion qui faisait basculer chaque jour dans le suivant.

Jamie, le garçon pour lequel elle était allée si loin, n'était pas un enfant facile. Yvette avait l'impression que les filles s'étaient élevées toutes seules, en comparaison. Clarissa savait s'y prendre avec lui, mais depuis qu'elle ne venait plus à la maison, il était indomptable. Les serrures n'avaient pas de secret pour lui, il avait appris à faire démarrer une voiture et volait les meilleurs fruits aux arbres du voisinage. La nuit, il balançait la tête sur son oreiller, une manie qui inquiétait Yvette : il pensait à de la musique, prétendait-il, cependant il semblait incapable de se contrôler. Il avait solennellement déclaré à Yvette qu'il ne se marierait jamais, il s'en rendait bien compte, car se marier impliquait de dormir avec une femme et aucune femme ne supporterait ce mouvement répétitif d'un côté à l'autre. Doté d'un solide esprit de contradiction, il suffisait de lui demander de faire quelque chose pour qu'il refuse. Il séchait les cours à l'Immaculée-Conception pour jeter des pierres aux oiseaux et avait horreur d'aller à la messe.

Teddy n'était d'aucun secours ; visiblement, le courant ne passait pas entre eux deux. La finesse des traits de Jamie, ses cheveux noirs contrastaient avec le large visage et les cheveux blonds de Teddy, et Yvette pensait que les regards du garçon déstabilisaient Teddy, sans que celui-ci sache pourquoi. Pourtant, il faisait des efforts. Il arriva un jour à la maison très excité, Jamie avait alors huit ans, avec un gigantesque chou à la crème emballé dans un sac en papier. Il le posa triomphalement sur la table et appela Jamie. Le garçon considéra l'énorme gâteau, l'air incertain.

— C'est un chou à la crème! dit Teddy.

Jamie s'assit sur la chaise avancée par Teddy et dévisagea son père, attendant les instructions.

— Eh bien, goûte! dit Teddy.

Yvette voulait donner un couteau et une fourchette à Jamie, ce qui n'aurait rien changé. Ce n'était pas un bon chou à la crème. L'enveloppe de pâte était trop dure et croquante et la chantilly collait aux doigts et au nez de Jamie. Il continua pourtant comme un vaillant petit soldat, adressant à Teddy un pâle sourire plein d'espoir.

— Il n'y a rien de meilleur sur terre, crois-moi! déclara Teddy en donnant une tape dans le dos de son fils.

Il dut sentir l'échec, malgré tout, car il lança un regard triste à Yvette et Jamie avant de retourner à son établi dans le garage.

Jamie fixait le chou ravagé d'un air misérable. Yvette s'assit à côté de lui et repoussa ses cheveux noirs en arrière.

— Quand ton père était petit, il n'y avait pas autant de bonnes choses que maintenant, dit-elle. Les choux à la crème sont ses gâteaux préférés et il a voulu t'en offrir un.

Jamie fixait toujours l'objet éventré.

— Tu comprends, demanda-t-elle, qu'il a cherché à te faire découvrir quelque chose de vraiment spécial?

Jamie hocha la tête.

Yvette se pencha vers lui et chuchota:

— On ne lui dira pas que ce n'était pas très bon.

Jamie finit par sourire — d'une oreille à l'autre.

Puis le nouvel emploi de Teddy l'amena à voyager plus souvent, il était rarement à la maison et Jamie semblait éprouver des difficultés dès qu'il était de retour. Il fut renvoyé de l'Immaculée-Conception pour une série de délits que les frères détaillèrent à Yvette en s'excusant, au nombre desquels figuraient ses absences injustifiées, son indiscipline, des cigarettes fumées en cachette. À douze ans, il fit rouler une voiture dans l'océan et Teddy déclara qu'une école militaire ferait le plus grand bien à cet enfant.

— Pas question, dit Yvette. Il n'ira pas dans une école militaire. Pas lui. Il veut simplement attirer ton attention.

— Eh bien, il a réussi.

Yvette refusait de se séparer de Jamie, Teddy décréta alors qu'elle assumerait seule la responsabilité du garçon. L'Immaculée-Conception n'accepta pas de le reprendre et elle s'inquiétait des problèmes qu'il risquait de rencontrer à Hermosa High. Elle se confiait parfois à Clarissa, au téléphone, des communications hors de prix depuis que celle-ci s'était installée à Hawaii avec Henry. Yvette n'évoquait jamais ces difficultés avec Margot. Elle essayait d'avoir un enfant et ne semblait guère s'y intéresser.

Dans le jardin, un après-midi, alors que les tensions accumulées au fil de la matinée commençaient à se diluer dans le vin doux, quelqu'un annonça que le nouveau prêtre donnait des cours de musique. Le lendemain matin, Yvette conduisait Jamie à l'église pour lui présenter le père Jack et Jamie se jetait sur la guitare acoustique du prêtre dans la salle de catéchisme déserte. Il arrivait à peine à parler tant il était excité. Sur la route du retour, il déclara qu'il n'avait jamais imaginé que l'on puisse prendre des cours de guitare et demanda s'il était possible d'en prendre tous les jours. Et d'ailleurs, pourquoi ne l'avait-elle pas informé plus tôt de l'existence des cours de guitare?

Jeune et séduisant jésuite, le père Jack avait des cheveux noirs peignés à la diable et l'apercevoir un jour en ville avec des lunettes de soleil et un blouson de cuir noir avait rendu Yvette nerveuse. Mais Jamie le vénérait. Et Jamie avait changé : au lieu de forcer les portes des garages, il restait dans sa chambre et s'entraînait à réussir des accords. Il s'exerçait jusqu'à l'épuisement et s'endormait dès qu'il se couchait, ce qui mit un terme à ses balancements de tête nocturnes.

Jamie invita le père Jack à dîner, une initiative dont se serait bien passée Yvette. Teddy n'avait jamais rencontré le prêtre et elle ne lui avait pas parlé du blouson de cuir noir : pourvu que le père Jack ne le porte pas, se disait-elle. Ils recevaient fréquemment des prêtres à dîner, toutefois le père Jack était différent.

Il se présenta à la porte en habit de prêtre, comme s'il avait deviné son embarras, et rangea ses lunettes de soleil dans une poche. Sa main, lorsqu'il serra celle d'Yvette, était sèche et vigoureuse – une main de guitariste, pensa-t-elle – et elle se sentit intimidée en le guidant dans la maison. Il n'était guère plus âgé que Margot, cette gêne semblait donc parfaitement absurde.

Jamie sauta de joie à l'arrivée du père Jack dont il serra joyeusement la main. Puis, comme il paraissait à court de conversation, Yvette leur demanda de mettre la table ensemble. Elle entendait Jamie, dans la salle à manger, évoquer avec passion les airs qu'il avait travaillés et une transition entre des accords qui lui donnait du fil à retordre.

– Venez dans ma chambre, je vais vous montrer, l'entendit-elle dire.

– Pourquoi ne pas apporter ta guitare ici, plutôt ? suggéra le père Jack, ce dont Yvette fut reconnaissante.

– Je ne m'entraîne jamais ici, dit Jamie.

– C'est bon pour une fois ! cria Yvette.

Jamie se rua dans l'escalier à la recherche de sa guitare.

Le père Jack entra dans la cuisine.

— Un garçon sensationnel, dit-il.

Yvette essayait de formuler une réponse qui ne soit pas une protestation lorsque Jamie déboula au pied de l'escalier, guitare en main. Ils étaient penchés sur l'instrument en train d'étudier le problème, dans le salon, quand Teddy entra. Le prêtre se leva sur-le-champ.

— Voici donc le fameux père Jack, dit Teddy en lui serrant la main. On ne parle plus que de vous, ici.

Jamie rougit et dit :

— Papa.

— Votre fils est un excellent guitariste, dit le père Jack.

— Ce raffut que j'entends en haut ? demanda Teddy, mais Jamie n'était pas d'humeur à se laisser taquiner.

— Papa, répéta-t-il.

— D'accord, c'est de la mu-si-que, dit Teddy en appuyant sur chaque syllabe.

La soirée s'annonçait désastreuse mais une fois installés à table, le père Jack incita Teddy à parler, témoignant d'une certaine déférence à son égard. Lui-même avait séjourné au Japon et dans les îles du Pacifique avant d'entrer au séminaire et il posa des questions auxquelles Yvette n'avait jamais songé. Ils évoquèrent le Japon et la future famille impériale. Ils se penchèrent sur le rôle de la geisha dans la société japonaise, un sujet limite pour le repas, mais Yvette se réjouissait de les voir se parler. Puis le père Jack lança Jamie sur le sujet de la musique et Teddy cessa de se moquer. Il écoutait, apparemment vaincu. Le père Jack se resservit de chaque plat, disant à Yvette que si elle voulait cuisiner pour une maison pleine de jésuites grisonnants, il était prêt à la kidnapper. Yvette lui sourit et jeta un coup d'œil à Teddy. Il souriait, lui aussi.

– J'aimerais entendre le son de cette guitare, dit Teddy quand la table fut débarrassée.

Il suivit Jamie au salon et le cœur d'Yvette se remplit de gratitude.

Elle emporta les assiettes dans la cuisine avec l'aide du père Jack. Il lui demanda si elle accepterait de parler aux catéchumènes, les nouveaux venus en voie de conversion au sein de l'Église.

Elle ouvrit le robinet d'eau chaude.

– Oh, non, dit-elle. Que voulez-vous que je leur dise?

– Ce que vous voulez, dit-il. J'imagine que vous pourriez parler de votre expérience de la foi.

Et c'est ainsi qu'elle en vint à lui raconter, les mains plongées dans l'eau savonneuse, ce qu'elle n'avait jamais confié à personne hormis à la Mère supérieure de Santa Rosa, concernant la prière au couvent, l'impression d'avoir été élevée au-dessus de son corps, la certitude que Dieu lui avait parlé.

– J'étais enceinte de Jamie, à l'époque, dit-elle, car la grossesse à Santa Rosa faisait partie de sa vie au point qu'elle y croyait presque. La Mère supérieure m'a dit de ne pas recommencer.

– Une jalousie de vieille fille, on dirait, commenta le père Jack.

Yvette leva les yeux vers lui, stupéfaite.

– Vous croyez ?

– Le célibat produit certains effets sur le cerveau, dit-il.

– Non, dit-elle.

– Croyez-moi.

Jamie et Teddy arrivèrent du salon avec la guitare, le visage de Jamie rayonnait de fierté.

Ce soir-là, en se déshabillant, Yvette pensa combien elle était heureuse que Dieu lui ait envoyé le père Jack.

Teddy était déjà au lit, il posa son livre.

– Ce prêtre ne m'inspire pas confiance, dit-il.

Yvette était abasourdie.

– J'ai eu l'impression que tu l'aimais bien.

– Il veut qu'on l'aime, dit Teddy. Un prêtre ne devrait pas faire autant de charme.

– Je ne vois pas pourquoi.

– Il attend des choses des gens, dit Teddy. Il veut obtenir quelque chose de toi.

Elle se garda bien de mentionner ce qu'avait dit le père

Jack à propos du célibat ou de la causerie avec les catéchumènes.

– Quoi, par exemple?

– Je n'en sais rien, dit Teddy, le visage se colorant légèrement de rouge. J'ai juste eu le sentiment que je ne voulais
pas le voir tourner autour de toi. Il leva la tête vers elle. On
ne se méfie pas de lui, parce qu'il est prêtre, et c'est un tort.

– Jamie l'adore.

– Je veux qu'il sorte de nos vies, dit Teddy.

Ils se disputèrent sur ce sujet durant une semaine,
mais Teddy n'en démordait pas. Et pendant ce temps,
Jamie s'entraînait assidûment à la guitare et ne parlait
que du père Jack.

Une fois encore, Yvette échafauda un plan. Le père
Jack partait pour un autre diocèse à la fin de l'été, ce
qu'ignorait Jamie. Les vents de Santa Ana charriaient
l'air brûlant du désert cet été-là, il faisait torride. La
petite maison avait perdu sa fraîcheur habituelle. Un
après-midi, alors que Jamie était affalé sur le canapé, ter-
rassé par la chaleur, Yvette lui suggéra en passant de
rendre visite à sa sœur à Hawaii. Elle enseignait dans un
collège et ses vacances d'été venaient de commencer.

– Je pourrais vraiment y aller? demanda-t-il.

Yvette éprouva un pincement en constatant à quel
point il aimait Clarissa. C'était perceptible au son de sa
voix. Elle acquiesça.

– Je peux emporter ma guitare ?

– Naturellement.

– Et il fait aussi chaud qu'ici, à Hawaii ?

– Je ne pense pas.

– Cool, dit Jamie.

Elle avait déjà acheté son billet et l'aida à faire ses bagages. Il lui fit promettre de saluer le père Jack de sa part et de lui dire qu'il rentrerait bientôt. Si Jamie aimait tant le prêtre, pensa Yvette, c'était parce qu'il avait besoin de la présence d'un homme qui ne soit pas fâché ni déçu. Un rôle que l'Henry de Clarissa remplirait sans problème ; il l'avait déjà fait, autrefois. Quoi de plus naturel, ensuite, qu'une visite à Margot, Owen était si gentil – et au retour, le père Jack ne serait plus là et les craintes de Teddy, fondées ou non, n'auraient plus lieu d'être.

9

Dans l'esprit de Clarissa, l'assassinat de Kennedy et la collision avec le *Grocery Boy* étaient étroitement liés – elle craignait que ce ne soit un sacrilège – car ce jour avait marqué un tournant décisif dans la vie d'Henry, et dans la sienne, par conséquent. Il avait décidé d'assurer lui-même sa défense au tribunal et jamais elle ne l'avait vu aussi magistral. Ses torts étaient indéniables, le contrôle du bateau lui avait échappé, mais comme il naviguait à la voile alors que le yacht était au moteur, il gagna le procès. Il abandonna la chimie pour les sciences politiques et s'inscrivit dans la semaine à la faculté de droit.

Le fossé entre Henry et la famille de Clarissa se creusait : ses parents et Margot avaient rejoint le giron républicain tandis qu'Henry remplissait des enveloppes pour les démocrates de Californie. Clarissa se cantonnait dans le laboratoire, loin des discussions interminables à propos de tout et de rien : le cycle de Krebs était le cycle de Krebs, les cellules, des cellules.

En 1968, alors qu'il étudiait le droit à la UCLA, Henry l'emmena voir la foule bariolée qui distribuait des fleurs sur Sunset Boulevard. Des garçons en tunique, chaussés de mocassins, mêlés à des filles absolument magnifiques, pieds nus pour la plupart, avec de longs cheveux défaits. Pendant qu'Henry discutait de la grève des cueilleurs de raisin et de César Chavez, Clarissa se demandait ce que penserait son père de ces filles au regard rêveur, à moitié nues dans la rue. Sa mère aimait bien le leader syndical qui se battait pour une population si pauvre et tellement croyante, mais son père affirmait que Chavez était communiste et rapportait du raisin dès qu'il en trouvait dans les rayonnages. Sans en être certaine, Clarissa avait le sentiment qu'Henry avait raison, que les changements étaient importants, nécessaires.

Henry se rendit à l'hôtel Ambassador le soir de la victoire de Bobby Kennedy aux primaires, accompagné d'autres militants. Ils espéraient parler au sénateur et se frayaient un chemin à travers la foule dans la direction qu'il avait empruntée lorsqu'ils entendirent des coups de feu en provenance de la cuisine – ils ignoraient alors que c'était la cuisine. Henry passa des heures à l'hôtel, puis dans la rue, tandis que Clarissa l'attendait à l'appartement ne sachant pas où il se trouvait. On interrogea des témoins, des rumeurs se propagèrent dans la foule, quand Henry rentra enfin, il avait les mains tremblantes et des larmes sur les joues, du jamais vu chez lui.

En dernière année de droit, Henry rédigea un article pour son cours d'éthique sur l'iniquité du 2S, un texte relatif à l'octroi de sursis pour les étudiants. Il n'était pas juste, développait-il, que de jeunes hommes issus des milieux défavorisés partent au Vietnam alors que les Blancs des classes moyennes restaient à l'université pour échapper aux rizières. Son professeur, qui venait d'approuver le sujet de doctorat choisi par Henry dans le prolongement de ses études de droit, lui accorda un A – et un long regard pensif.

L'année suivante vit l'abandon du sursis accordé aux étudiants, l'incorporation se ferait désormais suivant les hasards d'une loterie. Chaque jour de l'année serait tiré au sort et les jeunes hommes dont l'anniversaire correspondait aux premières dates tirées seraient incorporés, qu'ils soient étudiants, mariés ou célibataires. Une solution juste et belle. Henry dit à Clarissa combien il en appréciait l'équité, sans s'en réjouir pour autant.

La semaine précédant le tirage au sort, Henry fit faux bond à Clarissa pour le souper, il roula vers le désert et se gara à l'écart de la route. Elle n'apprit que beaucoup plus tard où il était allé. On était en décembre, la température chutait avec la tombée du jour mais Henry marchait droit devant lui, sur une bande de sable vide. Il s'arrêta lorsqu'il fit noir. Il imagina ce que ce serait de partir pour toujours, au Mexique ou au Canada, une chose que Clarissa ne lui pardonnerait jamais, avec son père héros de la guerre, et qu'il ne se pardonnerait pas non plus, avec ses essais chargés de grands idéaux. Puis il étala son sac de couchage, se glissa à l'intérieur et observa la lente ascension de la lune suivie de son déclin. Profitant des derniers rayons de lune, il se leva pour faire pipi. Il s'éloigna de son sac de couchage, soucieux de maintenir l'odeur d'urine à distance de son campement, mais au retour, il rata le sac de couchage. La lune, proche de l'horizon, ne dispensait plus qu'une faible clarté orange, et dans toutes les directions, le sol était identique : les taches sombres des broussailles à mi-hauteur d'homme, les zones plus claires du sable. Sa lampe de poche était restée dans la voiture, il était nu de la taille aux pieds dans un froid devenu intense. Suffisamment pour qu'il neige, pensa-t-il, en dépit d'une absence de nuage qui rendait l'obscurité plus opaque. Il allait et venait, sillonnait l'espace d'est en ouest, du nord au sud, regrettant de ne pas avoir compté ses pas, se demandant comment il avait pu dépasser son campement. Il était incapable de dire s'il avait été trop loin ou pas assez, en rebroussant chemin. Des buissons qu'il ne voyait pas griffaient ses jambes nues. Chaque endroit où il arrivait ressemblait au précédent.

La lune disparut et son cœur se serra à l'idée de se retrouver seul, transi dans la nuit. Il ne pensait pas qu'il mourrait, mais il faisait vraiment noir et il se mit à trembler. Sa peur de se comporter en homme et de faire la guerre allait le condamner à passer la nuit recroquevillé dans des broussailles, les fesses à l'air. La honte mêlée à l'apitoiement sur lui-même lui donnait envie de vomir, il sentait la bile monter dans sa gorge lorsqu'il trébucha sur son sac de couchage. Il se laissa tomber de soulagement sur le nylon glissant et se concentra sur sa respiration jusqu'à ce que la nausée s'efface.

Il se réveilla sous un soleil de plomb, cerné par le fourmillement de ses propres empreintes. Son paquetage replié, il rebroussa chemin jusqu'à sa voiture, jusqu'à sa maison, et s'engagea dans la marine. Lorsqu'il fut enfin capable d'aborder le sujet, il expliqua à Clarissa qu'il ne supportait pas de s'en remettre au hasard de la loterie, la marine étant ce qui le tiendrait le plus éloigné de la guerre.

Le soir du tirage au sort, Clarissa resta près de lui, assise sur le canapé devant la télévision. Les capsules contenant les dates inscrites sur des bandes de papier étaient piochées dans une grande urne en verre. Sur tout le campus on s'était réuni pour assister au tirage au sort, les gens se rassemblaient autour des téléviseurs dans les foyers et les appartements communautaires, Clarissa et

Henry entendaient les cris qui ponctuaient les premières dates anniversaires annoncées – 14 septembre, 24 avril, 30 décembre. Les bandes de papier continuèrent à sortir, aucune ne correspondait à l'anniversaire d'Henry. Puis la télévision cessa de retransmettre les chiffres, tout le monde savait que les garçons arrivés en fin de tirage ne partiraient jamais. Après vérification dans le journal, le lendemain, il apparut que le 12 février, date anniversaire d'Henry, avait la 346e place sur 365.

Quoi qu'il en soit, la marine le réclamait et Clarissa l'emmena passer un examen à Watts, où il se retrouva nu dans un entrepôt parmi une centaine d'autres hommes disposés en cercle, auscultés tour à tour par un médecin militaire. Dans la voiture où elle l'attendait derrière des portières verrouillées, Clarissa se surprit à réciter des Ave Maria à voix basse dans l'espoir qu'Henry échoue aux tests d'aptitude physique et puisse honorablement rester chez lui. Évidemment, il réussit tous les tests ainsi qu'ils l'avaient prévu. Il jouissait d'une santé absurde. Alors qu'il revenait vers la voiture, Clarissa entendit un garçon se lamenter depuis un téléphone public, sur le trottoir. « Je leur ai *parlé* de l'asthme, maman, disait le garçon. Ils s'en foutent ! Je *savais* qu'on aurait dû essayer objecteur de conscience ! »

La marine mit un certain temps à décider de ce qu'elle ferait d'Henry. D'abord envoyé dans un camp d'entraînement, il écrivit à Clarissa qu'il se sentait très vieux, à vingt-cinq ans. Puis on l'affecta au service juridique avant de l'expédier à Hawaii. Lorsqu'il fut enfin convoqué pour un entretien, à Honolulu, devant une charmante lieutenant tirée à quatre épingles dans la veste et la jupe de son uniforme, elle considéra ses épaules, la tête inclinée.

– Vous avez fait du foot? demanda-t-elle.

Henry répondit par l'affirmative.

– Vous voulez entrer dans la police militaire?

Henry parut réfléchir à la chose, mais il savait pertinemment qu'il ne pourrait pas être flic.

– Je ne crois pas que je suis fait pour ça, dit-il.

Elle tapota le dossier militaire d'Henry du bout de son stylo.

– Pourquoi avez-vous étudié le droit?

Il lui raconta la collision avec le *Grocery Boy*, le procès, son changement d'orientation universitaire.

– Et vous avez choisi la marine? dit-elle en souriant.

– Du moment que vous n'utilisez pas de voiliers, dit Henry. Je pense que je devrais y arriver.

Elle quitta la pièce pendant une bonne vingtaine de minutes et reparut avec un emploi qu'elle lui présenta comme un cadeau. Il resterait à Honolulu et accomplirait des tâches juridiques pour les généraux.

– Le *Grocery Boy* vient de vous épargner Saigon, dit-elle.

Elle lui serra chaleureusement la main en le raccompagnant à la porte et il se mit à travailler pour les généraux et fit venir Clarissa. Un prêtre de la marine les maria à la va-vite pour faire plaisir à Yvette. Clarissa voulait surtout que son mariage ne ressemble en rien à celui de Margot : toute cette agitation, Margot dirigeant les demoiselles d'honneur, l'encens, la chorale, la messe interminable, ce pauvre Owen sur son trente et un avec son air hébété et Margot en princesse radieuse. Clarissa portait une petite robe d'été en coton et des sandales pendant l'office du prêtre et Henry envoya un télégramme à ses parents : « Mariage accompli. Merci pour si belle fille. Progéniture promise au pape. »

Teddy et Yvette envoyèrent une nappe et une parure de lit adressées à M. et Mme Collins, en leur souhaitant d'être heureux.

« Au début, j'ai été agacée de ne pas assister à ton mariage », écrivit sa mère.

Et puis j'ai prié et je me suis rendu compte que je m'étais mariée de la même manière, rapidement, avant une guerre. Je sens que nous sommes proches l'une de l'autre et je te souhaite tout le bonheur que j'ai eu.

Clarissa rangea la lettre. Elle ne voulait pas de cette version maternelle du bonheur. Elle avait la sienne propre.

La marine logeait les couples mariés dans une caserne à deux étages infestée de termites, à Honolulu, mais Clarissa avait l'impression d'avoir emménagé dans un palace, tant elle aimait vivre avec Henry. Elle avait trouvé un poste de professeur de biologie au collège, où les étudiants l'appelaient Mlle Collins, et le soir, elle organisait des pique-niques sur la plage, étalant sur le sable la nappe que sa mère destinait à de la porcelaine de Chine et de l'argenterie. Sa mère lui recommandait de ne pas donner cours en minijupe, ce qu'elle faisait malgré tout. Elle portait des shorts cousus dans le coton souple des sacs de riz et faisait ses courses en bikini. Les gens se retournaient peut-être sur son passage, mais ce n'était pas réprobateur. Tout le monde en faisait autant. Jamais elle n'avait été aussi heureuse de sa vie.

Pour Henry, les temps étaient plus durs. Une de ses tâches consistait à rédiger les testaments des officiers et ils étaient si nombreux à partir pour Saigon qu'Henry se sentait accablé par le poids de leurs possessions. Les officiers répartissaient l'argent facilement mais les *objets,* à commencer par le petit carnet jaune que leur remettait Henry afin qu'ils établissent des listes, donnaient matière à intense réflexion. Une canne à pêche à moulinet pour un fils, un appareil photo pour un neveu, une montre pour un nouveau-né, un bateau à fond plat pour un frère. Ils ne savaient jamais quoi léguer aux filles. À peine apparaissaient-ils sur le pas de la porte, racontait Henry, qu'ils répandaient une odeur de sueur froide qui le gagnait aussitôt.

Clarissa savait que la mort hantait les journées d'Henry. Aussi, lorsqu'elle constata un retard dans ses règles, elle se rendit seule chez le médecin et offrit ensuite la nouvelle à son mari ainsi que l'avait fait la jolie lieutenant en lui attribuant un emploi: à la manière d'un cadeau, d'un sauvetage. C'était proche de la sensation de l'existence de Dieu, déclara Henry. Il lui donna la photo découpée d'un bébé collée sur un formulaire de réquisition de la marine stipulant la demande suivante: «Une (1) petite fille aux yeux gris-vert.»

— Je ne veux pas de fille, lança Clarissa avec plus de virulence qu'elle ne l'aurait souhaité.

Assis sur leur lit défait, dans la caserne aménagée en logement, ils regardaient l'ordre de réquisition.

— Alors, l'enfant suivant aura une grande sœur.

Henry secoua la tête, gêné.

— Comme Margot, dit-elle.

Henry lui enveloppa la taille de ses bras, enfouissant son visage dans l'arrondi naissant de son ventre.

— Elle ne sera pas comme Margot, dit-il. Je te promets une fille aînée qui n'aura rien à voir avec Margot.

Clarissa lui caressa la tête, tout sauf résignée.

10

À son arrivée à Hawaii, Jamie découvrit un endroit conforme à ses rêves. Henry avait installé des haut-parleurs sur le toit en terrasse de la caserne pour écouter de la musique en regardant l'océan turquoise en contre-bas de la ville. Et il possédait toujours les meilleurs disques, Dylan et Cream, et des musiques hawaiiennes aux sons délirants dont Jamie ignorait l'existence. Ils s'asseyaient ensemble sur la terrasse, Jamie reproduisait les accords sur sa guitare, apprenait les chansons – hormis les airs hawaiiens impossibles, à jouer sur des guitares à douze cordes. Un jour qu'ils étaient seuls, Henry l'autorisa à tirer une bouffée d'un joint et la musique était tellement belle, l'eau tellement bleue.

Clarissa avait commencé un jardin sur un petit lopin de terre nue, ils l'observaient depuis la terrasse tandis qu'elle désherbait, en short. On ne voyait pas vraiment qu'elle était enceinte. Elle repoussa derrière ses oreilles ses longs cheveux raides qui lui tombaient à la moitié du dos. La vue du bracelet de coquillages qu'elle portait à la cheville, au contact de sa peau, donnait parfois à Jamie des érections qu'il devait dissimuler. Ils partaient tous les trois en randonnée, Clarissa glissait nue dans des trous d'eau d'un vert profond creusés au pied de cascades, ses seins ressemblaient à deux œufs au plat. Henry apprit à Jamie à extraire la substance épaisse et visqueuse de la plante awapuhi qu'ils utilisaient pour se laver les cheveux. Ils cueillaient des moki-hana pour s'en faire des colliers, prenant soin de faire sécher les graines pour éviter les irritations, et jouaient au water-polo avec les types de la marine dans la piscine de la base. Clarissa se défendait honorablement, dans son combat pour attraper le ballon au milieu des gerbes d'eau. Elle avait un petit ventre, en bikini, mais restait très sexy.

Henry faisait griller des poissons qu'ils avaient pêchés ou achetés à de vieux pêcheurs hawaiiens et ils dînaient en buvant des bières à même la canette. Jamie en buvait toujours une, lui aussi, en dépit de ses douze ans. Henry était un *Great Westerner*, ce qui signifiait que toute chose contenait une force et cela les dispensait d'aller à l'église.

Ayant découvert la cachette à cannabis d'Henry, Jamie en avait fumé seul dans la caserne et Henry s'en aperçut. Il ne cria pas, comme l'aurait fait Teddy : il se contenta de demander à Jamie à quoi il avait pensé, sans rien ajouter. Il ne disait rien, mais sa déception flottait dans l'air telle une mauvaise odeur. Elle était partout et Jamie était fautif, il le savait. Henry n'en avait pas parlé à Clarissa, Jamie n'avait pas l'intention de le faire, lui non plus. Il avait espéré – l'admettre lui faisait honte maintenant – venir vivre avec eux, à Hawaii, à la fin du collège. Il savait que c'était fichu désormais. La vie d'Henry et Clarissa, où les adultes ont les meilleurs disques et glissent en bas des cascades, représentait tout ce qu'il n'aurait jamais. Comme se marier et dormir avec une femme lorsqu'on balance la tête de façon chronique. Il voulait rentrer chez lui, retrouver le père Jack, porter les mêmes vêtements que le père Jack et jouer de la guitare.

Lorsque sa mère téléphona, il demanda à revenir à la maison et s'entendit répondre qu'il devait d'abord aller chez Margot, passer le reste de l'été en Louisiane.

– Je veux rentrer, dit-il. J'ai de nouvelles chansons à montrer au père Jack.

– Voyons, mon trésor, Margot a très envie de te voir, dit Yvette.

– Et je dois avoir envie, moi aussi?

– Trésor. Que penserait Margot si elle entendait cela?

– Tu diras au père Jack que j'ai de nouvelles chansons.

– Compte sur moi, dit sa mère.

Il s'envola pour la Louisiane où il faisait humide et moite, et où la chaleur était bien pire qu'en Californie.

Chez Margot, pas question de poser ses pieds sur les meubles, de jouer de la musique à tue-tête, de manger à onze heures du soir si personne n'avait eu faim avant. Les adultes ne fumaient pas de haschisch, chez elle. Ils ne juraient pas. Jamie nageait dans la piscine, à l'arrière de la maison, où personne ne se baignait à poil même si la hauteur de la clôture vous dissimulait à la vue des voisins. Margot ne se baignait jamais et Jamie ne la trouvait pas bandante. Elle lui adressait à peine la parole. Owen, son mari, était plutôt gentil mais il passait sa vie au bureau. Rosa, la domestique noire chargée de faire le ménage et la cuisine, l'intimidait lorsqu'elle lui souriait en déambulant dans la maison avec sa robe couleur pêche et son aspirateur, car il n'avait jamais vu de Noire auparavant. Il s'enfermait dans sa chambre, répétait les chansons qu'il montrerait au père Jack et attendait de rentrer chez lui.

Dans l'avion, il mima les accords du morceau «Absolutely Sweet Marie» sur le dos de sa guitare pendant tout le vol, en marquant la mesure contre l'appui-tête, au point de faire changer de place la passagère assise derrière lui.

Dès qu'il eut enfin regagné ses pénates, il voulut téléphoner au père Jack mais sa mère lui suggéra d'attendre un peu. Après les enchiladas, qu'elle avait préparées sachant que c'était son plat préféré, suivies du sorbet au citron vert, elle lui apprit que le père Jack avait été appelé dans un autre diocèse où sa présence serait plus utile. Son père demeura silencieux pendant l'annonce de cette nouvelle, les yeux rivés à son bol de glace vide. Jamie demanda si le père Jack avait laissé un message pour lui, sa mère répondit qu'il n'en était rien : ni message, ni lettre.

Ce soir-là, Jamie passa en revue l'été écoulé, en y réfléchissant sérieusement. Il essaya de trouver ne serait-ce qu'une personne en qui avoir confiance, et qui soit digne de cette confiance. Il s'imagina qu'il était mort et à la question de savoir si sa mort les rendrait tristes, il conclut que non. Il supposa que l'inverse serait tout aussi vrai.

11

Margot ne parvenait pas à avoir d'enfant. Maintenant qu'elle était mariée à un homme charmant qui avait une bonne situation, voilà qu'il était impossible d'être enceinte : elle ne réussissait pas à reproduire ce qui s'était accompli avec une telle facilité dans la voiture à l'arrêt de M. Tucker. À vingt-six ans, enfin enceinte, elle fit une fausse couche au troisième mois. L'année suivante, elle perdait un autre bébé après une grossesse de quatre mois. Elle décida de dire au médecin ce qu'il savait probablement, selon elle : à savoir, qu'elle avait déjà mené à terme une grossesse. Elle pensait que l'information pourrait être utile. Mais lorsqu'elle se retrouva dans son cabinet, et avant qu'elle ait ouvert la bouche, il lui demanda si l'idée d'être enceinte suscitait une forme d'angoisse chez elle, tout en la regardant bizarrement. Furieuse, elle avait changé de médecin la semaine suivante et il ne s'était rien passé depuis.

Elle avait vingt-huit ans quand elle reçut une lettre de M. Planchet. « *Chère** Margot », disait-il.

Comment se porte ton fils ? As-tu d'autres enfants ? Mon fils Jean-Pierre n'en a pas, il se borne à gagner de l'argent, alors je pense au tien. Viens nous voir quand tu veux. Il n'y a plus que nous deux ici, maintenant. Je t'embrasse*.

Elle dissimula la lettre dans son journal intime, le carnet avait un fermoir à clé, et ne répondit pas.

Vivre dans le Sud n'arrangeait rien. Les femmes des collègues d'Owen avaient fait ensemble leurs débuts dans la vie, elles élevaient ensemble leurs enfants, une nouvelle venue sans enfant n'avait pas sa place au sein de ce petit cercle. Même chose pour les femmes de la paroisse. La seule qui ne soit pas du Sud était une femme du Michigan, exubérante et chaleureuse, mère de cinq enfants : elle avait créé son propre entourage et n'avait pas une minute à consacrer aux autres jeunes mères, quand bien même elles auraient voulu d'elle. Margot la trouvait admirable.

Certains jours, elle n'avait que Rosa, la femme de ménage, pour compagnie, mais Rosa aussi avait des enfants – quatre, ce qui était bien au-dessus de ses moyens – et Margot lui en tenait rigueur. Son envie d'avoir un enfant se nichait au creux de son estomac. Elle rêvait qu'elle était enceinte, se réveillait seule, déçue de sortir de son rêve, tandis qu'Owen était déjà parti travailler. Elle se demandait si son corps empoisonnait les enfants.

Puis sa mère avait téléphoné, la priant d'accueillir Jamie. Cette nuit-là, elle rêva qu'elle pourchassait le petit Jamie, âgé de deux ans, à travers toute la maison. Elle l'attrapait derrière les rideaux et s'apprêtait à le manger pour l'avoir dans son ventre lorsqu'elle se réveilla en nage.

Elle ne pouvait pas refuser et Jamie arriva, un garçon de douze ans, mince et renfermé. Sa présence dans la maison était une torture. S'il n'était pas né, peut-être serait-elle en mesure d'avoir un enfant, maintenant. Ou alors, il aurait pu être son enfant. Elle éprouva soudain une vive colère à l'encontre de sa mère qui l'avait privée de cette unique chance, colère suivie de remords. Qu'aurait-elle fait d'un enfant, à seize ans? À l'époque, elle aurait été une terrible mère pour cet enfant qu'elle n'avait pas désiré, il aurait gâché son existence.

Chaque fois que leurs chemins se croisaient, dans la maison, ils prenaient tous les deux l'air effarouché. Sous ses traits elle discernait le visage de M. Tucker: l'homme qui l'avait fait valser tant et plus sur le sol de la salle de danse et attirée sans effort jusqu'à sa voiture. Owen se montrait affectueux et enjoué avec le garçon – il n'était au courant de rien. Elle avait toutes les peines du monde à être aimable. Elle savait que Jamie était perplexe, ce qui aggravait son sentiment de honte. Son départ fut un soulagement.

12

Jamie avait seize ans lorsqu'il vit Gail pour la première fois en 1975, à la suite d'une fête sur la plage où ils avaient formé des couples après avoir bu comme des trous. La fille dont il avait hérité s'était sentie mal, avait attrapé froid, et était rentrée chez elle. Jamie dormait – ou essayait de dormir – recroquevillé contre un buisson de figue de mer au pied de la falaise, son sweat-shirt sur la tête, le plus loin possible de l'eau. Au lever du soleil, alors qu'il descendait péniblement le long de la plage pour aller faire pipi, il aperçut une fille qu'il ne connaissait pas assise dans les restes calcinés du feu, le visage et les vêtements noirs de cendre sur un côté. Elle lui adressa un grand sourire.

– Salut.

Jamie était encore à moitié endormi. La fille avait les cheveux noirs, la peau très claire, là où elle n'était pas barbouillée de cendre, et surtout l'air d'un fantôme, ainsi dressée au centre du foyer éteint.

– Va pisser, dit-elle. T'en fais pas pour moi.

Jamie se traîna jusqu'à l'eau.

Avant qu'il ait fini, la fille était debout à côté de lui et il remonta précipitamment la fermeture éclair de son jean. Une énorme vague s'élança vers leurs pieds, mourant sur le sable dans un bouillonnement blanc qui fit reculer Jamie. La fille se déshabilla en une seconde, jeta ses vêtements sur le sable sec, pataugea dans l'écume et plongea dans une vague. Jamie la suivit des yeux. Tout son corps était blanc. Quand Clarissa nageait nue, elle avait toujours la marque de son maillot de bain. Cette fille n'avait rien, pas même une ombre au niveau des fesses. Mais c'était une bonne nageuse.

– Tu viens ? appela-t-elle.

Son visage était propre maintenant, lavé de la cendre.

Jamie lança un coup d'œil derrière lui. Les rares personnes restées sur la plage commençaient à se réveiller. La matinée grise et brumeuse donnait l'impression que l'eau était froide. Il était conscient de la maigreur de son torse. Il en était encore à essayer de se donner de l'assurance, ne sachant quel vêtement enlever en premier, que la fille sortait déjà de l'eau à grandes enjambées.

– Trop tard, dit-elle. Il gèle, là-dedans.

Elle semblait taillée dans du savon, tant elle était blanche et fine, et Jamie fut choqué à la vue de la tache de poils noirs mouillés sous son nombril. Ses petits seins étaient ronds et fermes tandis qu'elle se penchait pour ramasser ses habits couverts de cendre et enfiler son jean.

— Pourquoi tu as dormi dans le feu? demanda-t-il.

Elle roula les yeux.

— Parce qu'il faisait plus chaud, pauvre cruche, dit-elle.

Elle secoua sa chevelure trempée sur le sable.

— On se prend un petit déjeuner?

Au Surf Shack, Gail commanda des crêpes et du bacon qu'elle dévora avec appétit. Jamie repoussa une assiette d'œufs.

— Tu es Jamie Santerre, dit-elle. Tu as poussé une voiture dans l'eau, un jour.

Jamie acquiesça.

— Tu m'as jamais vue, au collège, dit-elle.

Jamie secoua la tête.

— J'ai vu la fille avec qui t'étais, hier soir, dit-elle.

— Elle s'est sentie mal, dit-il.

Elle sourit.

— Tu étais pas tellement mieux.

Elle prit encore quelques bouchées de crêpes avant de sortir de la baraque en vinyle, abandonnant derrière elle une traînée de cendre tombée de son jean.

— Amène-toi, dit-elle. Je vais te montrer un truc.

Jamie la suivit le long de la cuisine où le plongeur faisait tinter des assiettes et des couverts jusqu'aux toilettes, au fond d'un étroit couloir, à l'arrière. Elle s'assura que les toilettes pour dames étaient vides, attira Jamie à l'intérieur et verrouilla la porte derrière eux. Pour la deuxième fois de la matinée, elle enleva sa chemise sans la moindre hésitation. Elle lui prit les mains, les glissa dans son jean. Il était encore mouillé de sa baignade, mais sa peau était douce et chaude.

— Il faut se grouiller, chuchota-t-elle.

Déjà, les mains de Gail étaient dans le pantalon de Jamie, le jean de Gail à ses pieds et, d'un bond, elle avait posé ses fesses nues sur le lavabo et replié les jambes autour de Jamie. À la stupeur de ce dernier, simple collégien qui s'attendait à tout sauf à ça.

Après cela, ils ne se quittèrent plus. La mère de Jamie n'aimait pas Gail ; elle portait des jeans délavés et des débardeurs sans soutien-gorge en dessous. Mais il se fichait pas mal de l'avis de sa mère. Il aimait bien les débardeurs. Gail le faisait rire, elle devinait toutes ses pensées, avait toujours envie de faire l'amour. Elle en avait envie comme un garçon. Elle lui avait offert une boîte géante de préservatifs, après l'avoir obligé à se retirer à temps dans les toilettes du Surf Shack, et il essayait de l'imaginer en train de les acheter, au drugstore. Ils faisaient l'amour dans la réserve de matériel de la section artistique du collège, dans l'atelier de céramique parmi les poteries rugueuses disséminées sur les tables qui répandaient une odeur d'argile. Gail passait sa vie au département beaux-arts, raison pour laquelle il ne l'avait jamais vue avant, et elle avait accès à tout. Ils le faisaient dans la piscine municipale, la nuit, en escaladant la clôture. Ils le faisaient sur le lavabo des toilettes pour dames du Surf Shack, en souvenir du passé. Lorsque le club de théâtre monta *Oklahoma!* ils le firent dans les coulisses, dans un chariot couvert d'une bâche à franges. Il y avait une série de rênes à l'intérieur du chariot, de longues lanières de cuir ; un jour, Gail les enroula autour des poignets de Jamie et lui tint les poignets au-dessus de la tête, il faillit jouir avant même de la pénétrer.

Les ceintures de peignoir, les chemises à manches longues, les liens de toute sorte ne manquaient pas dans leurs maisons respectives. Les chambres des sœurs de Jamie recelaient des écharpes, de longs gants de soirée blancs, d'anciens bas de soie filés. Pendant une courte période, il avait été scout – une mauvaise idée de son père – mais Gail le surpassait dans la confection des nœuds. Ils s'attachaient à tour de rôle aux montants de lits, aux poignées de portes, aux portières de voitures et s'il n'y avait rien pour s'attacher, Gail se contentait de lui maintenir les poignets, ou bien il lui immobilisait les mains dans une des siennes, ce qui, dans un cas comme dans l'autre, suffisait à lui faire perdre la tête. Pour rire, elle lui avait donné une revue pleine de femmes en tenue de cuir qu'il conservait sous son matelas. À force de la regarder, il la connaissait par cœur et dès qu'il y pensait, en classe, son regard se figeait, il profitait des cinq minutes de pause entre deux cours pour partir à la recherche de Gail, l'embrasser près de son casier et lui demander ce qu'elle était disposée à faire.

Il avait appris à jouer à la guitare les chansons que Gail aimait bien, en écoutant les disques. Qu'il puisse interpréter quelque chose de tendre, genre « Michelle », puis poser son instrument et la ligoter la faisait rire. Parfois, il reprenait sa guitare pour lui faire une sérénade, les sourcils levés et la tête penchée, comme Paul McCartney à ses débuts, tandis qu'elle pouffait de rire en se contorsionnant. Il changeait les paroles, les adaptait à elle :

Gail, my snail
Is the snail I'm going to nail right now
Nail right now...[1]

Il en inventait aussi de plus jolies qui ne la faisaient pas autant rire.

Dès qu'ils entendaient le père ou la mère de Jamie arriver en voiture, ils s'empressaient de défaire les nœuds,

1. Sur l'air de « Michelle » des Beatles, l'équivalent de « Gail, jolie sauterelle / tu sautes et je t'attrape, / je te mets un fil à la patte... ». (*N.d l.T.*)

d'enfiler leurs vêtements et de prendre la pause de l'innocence parfaite : deux adolescents avec une guitare, en train de boire du Coca-Cola devant la télévision, vêtus des pieds à la tête. Les emballages de préservatifs et les ceintures de peignoirs étaient relégués sous le canapé. Quand son père les trouvait ainsi, Gail le gratifiait de sourires effrontés. Teddy détournait invariablement les yeux en marmonnant un « Bonjour » crispé. Si elle restait dîner, elle s'asseyait à côté de son père et Teddy bafouillait en disant le bénédicité. Gail l'imitait à la perfection, les mains jointes : « Seigneur, nous t...t... te remercions pour ce...ce... cette nourriture... » Pendant le repas, elle avait réussi en douce à glisser son pied en chaussette dans l'entrejambe de Jamie, sous la table, juste devant les genoux de son père.

Curieusement, Jamie n'avait jamais honte avec Gail. Rien à voir avec le fait de bander en apercevant Clarissa en short, ou d'avoir une érection à l'école. Gail aimait ça. Gail avait commencé. Comme ce premier matin, où elle s'était déshabillée sur la plage : elle n'éprouvait aucune gêne et après un certain temps, lui non plus. Ils termineraient le collège en juin, Gail ferait les beaux-arts et il jouerait de la guitare dans un groupe. Ils passaient des heures à essayer de choisir entre Seattle, où Gail avait une tante, la Louisiane, où Margot pourrait éventuellement aider Jamie, et Rhode Island, où ils ne connaissaient

personne mais qui était réputée pour son école des beaux-
arts. Ils parlaient de leur futur appartement, de leur futur
travail. Et surtout, ils seraient ensemble. Jamie n'en revenait pas d'avoir tant de chance.

13

Au mois d'avril de la dernière année de collège de Jamie, Yvette trouva la ceinture de peignoir qu'elle cherchait nouée de main de maître à la tête de lit, dans la chambre de Jamie. Troublée, elle fit le lit en pensant à sa découverte et dénicha sous le matelas une revue écornée pleine de femmes en costumes de cuir, avec des fouets. Elle abandonna le magazine en évidence sur le lit et nettoya la maison de fond en comble, folle de rage.

Quand Jamie rentra, elle attendit un peu avant de monter dans sa chambre. Il était couché sur le ventre à côté de la revue, sur le dessus-de-lit moelleux, la tête enfouie dans l'oreiller. Il leva la tête, le visage écarlate, les yeux étincelants.

— Qu'est-ce que tu es venue faire ici ? demanda-t-il.

— Tu n'as que dix-sept ans, dit-elle.

— Dix-huit.

— Que penserait cette fille?

— Elle s'appelle Gail, dit-il. Et elle est au courant.

— Je n'en parlerai pas à ton père.

— Parfait.

Yvette ne parvint pas à se retenir; elle se mit à pleurer.

— Je ne veux plus que tu voies cette fille.

— Elle s'appelle Gail.

— Je veux que tu regardes dans ton cœur, dit-elle. Dans ton âme. Et que tu te demandes si tu penses que c'est bien.

Ce soir-là, Jamie refusa de descendre dîner. Les oreilles encore rouges de honte, il prétendit avoir mal au ventre et être incapable de manger. Il refusa de prendre le téléphone, lorsque Gail appela, et fit dire qu'il n'était pas à la maison. Yvette ne parla pas du magazine, ni de la ceinture de peignoir à la fille. Qu'aurait-elle bien pu dire?

Jamie ne rappela pas Gail le soir en question, ni les soirs suivants. Il se languissait dans sa chambre au lieu d'assister aux fêtes organisées pour les remises de diplômes. Yvette se reprochait cette situation sans trouver le moyen d'y remédier.

Elle fut détournée de ces soucis par un coup de fil de sa sœur Adèle lui apprenant que leur père, âgé de quatre-vingt-dix ans, était rentré dans la salle de bains le matin même, pour ne plus en ressortir. Leur mère, inquiète, l'avait découvert effondré au-dessus du lavabo rempli de sang. Adèle demandait à Yvette d'assurer une première permanence et Yvette s'envola le lendemain matin pour le Canada où elle trouva sa mère en état de choc et son père dans le coma. Trois jours durant, elle fit des parties de solitaire au chevet de son père, à l'hôpital, tandis que sa mère restait assise, les mains sur les genoux. Son père mourut le troisième jour, sans avoir repris conscience. Yvette ramena sa mère à la maison.

Elles roulèrent en silence mais, une fois arrivées devant la maison, la mère d'Yvette prononça une longue tirade d'une voix aiguë et éraillée qui n'était pas la sienne.

— Qu'on ne compte pas sur moi pour le pleurer! dit Lenore. Tu n'imagines pas quel tyran c'était! Il était fichu quand tu es arrivée mais tu devrais voir ce que ta sœur a enduré! Sans parler de moi!

— Maman! dit Yvette.

— C'est la vérité! Les seules femmes pures à ses yeux étaient sa sœur Rosalie et la Vierge Marie. Les autres n'étaient que des putains infidèles! Et je pourrais t'en raconter, sur Rosalie!

Yvette aida sa mère à entrer dans la maison. Elle la fit asseoir dans la cuisine, alluma la lumière. La pièce n'avait pas changé depuis son enfance, elle avait maintenant l'aspect d'un musée. La vie quotidienne pendant la crise: l'ordre et l'économie au secours de la respectabilité. La faiblesse de l'éclairage n'arrangeait rien.

– Papa n'a jamais pensé que j'étais une putain, dit-elle tranquillement.

– Tu aurais dû l'entendre, quand tu as épousé ton pilote! dit Lenore de cette même voix de harpie. Il avait été si bon avec toi, et voilà que tu partais, sur un coup de tête, toi, sa préférée, si jeune – à peine grande et déjà partie, sa petite fille. Adèle avait de bonnes raisons de s'en aller, elle, il était bien plus sévère avec elle.

Yvette repensa à son père, lorsqu'il ramenait sa sœur d'un bal, les claquements de portières, sa rage en découvrant la robe maculée de punch sur le devant. Elle eut un pincement, comme à chaque fois qu'elle se rappelait avoir trouvé la robe et dénoncé sa sœur. Il avait passé un mois sans adresser la parole à Adèle.

– Il était encore pire avec moi, dit sa mère qui commençait à faiblir. Mais je ne suis jamais partie.

Un de ses premiers souvenirs revint à la mémoire d'Yvette, les voix de ses parents, tard dans la nuit. «Ce n'est pas vrai, Léo! Ce n'est pas vrai!» disait sa mère en pleurs et Yvette avait bondi hors de son lit et s'était précipitée dans leur chambre au rez-de-chaussée. Elle s'était jetée aux pieds de son père en suppliant: «Laisse-la tranquille!» Son père l'avait regardée bizarrement, puis il s'était excusé avant de la prendre dans ses bras pour la ramener dans sa chambre.

– Tu n'étais pas censée partir, dit Yvette. Tu étais sa femme, pas sa fille.

– Oh, et je l'aimais! dit sa mère. Si tu l'avais entendu demander pardon. Tu comprendrais.

On procéda à l'autopsie le lendemain. Il apparut qu'il n'avait plus de foie; l'organe s'était lentement rongé de l'intérieur, provoquant une hémorragie dans l'œsophage qui avait entraîné une syncope consécutive à la perte de sang. Le médecin légiste demanda si son père avait eu une jaunisse. Yvette le revit en train de prendre une boisson tonique qu'il appelait un porter – de la bière avec de la mélasse et un œuf – pour se fortifier le sang. Jamais elle n'avait trouvé cela étrange. C'était son père. Chez lui, rien ne semblait étrange.

Après s'être emportée, Lenore fut assaillie de remords. Elle implora le pardon d'Yvette, affirmant que tout était faux, que le père d'Yvette était un saint homme. Puis elle se retira dans sa chambre, refusant de s'alimenter et de discuter du passé médical de son mari. «Léo n'a pas été malade un seul jour de sa vie», dit-elle, et elle claqua la porte au nez d'Yvette.

Assise seule à la table de l'ancienne cuisine, Yvette examina les différents papiers de son père, en particulier ceux ayant trait à sa santé. Léo Grenier, né en 1887, décédé en 1977. Épouse: Lenore Theveneau Grenier, née en 1889. Il avait été hospitalisé en 1929, Yvette avait alors six ans. Elle frappa à la porte de sa mère, curieuse d'en savoir plus pour s'entendre répondre : «Va-t'en.» Elle téléphona à Adèle qui avait treize ans, à l'époque.

– Papa tenait le magasin, à ce moment-là, dit sa sœur. C'était la prohibition aux États-Unis et il vendait du whisky dans la cave. Maman persiste à affirmer qu'il n'a jamais fait de contrebande de whisky à proprement parler – les bootleggers américains traversaient la rivière à Detroit pour venir s'approvisionner. Une nuit, trois hommes ont tenté de le dévaliser et quand papa a essayé de se défendre, ils lui ont tiré dans le ventre. La balle a dû lui toucher le foie. Tu ne te rappelles pas comme il avait le teint jaune?

– Non, dit Yvette. Il était toujours bronzé.

– Un bronzage plutôt jaune, dit sa sœur. Tu t'en sors? Elle va bien?

Yvette décida de ne faire aucune allusion aux propos de leur mère simplement parce qu'ils n'avaient pas l'air de venir d'elle. Elle répondit que tout allait bien.

Elle téléphona ensuite à son frère aîné, Joe, qui avait eu tellement de problèmes avec leur père. Il confirma l'histoire du coup de feu. Mais il ajouta que papa avait tiré, lui aussi, atteignant un des hommes au cou. Seuls deux bootleggers américains regagnèrent Detroit, cette nuit-là, ils avaient probablement balancé leur acolyte dans l'eau, depuis le pont.

— Papa avait une arme? demanda Yvette.

— Naturellement, dit son frère. Un trente-huit milli-
mètres. J'aimerais bien savoir ce qu'il est devenu,
d'ailleurs.

— Il déconne complètement, dit Adèle lorsque Yvette
la rappela pour vérifier les dires de Joe. Joe n'habitait
même pas là, à l'époque. Comment veux-tu qu'il le
sache?

Yvette, qui avait essayé de se faire à l'idée d'être la fille
d'un tueur, ne savait plus à quoi s'en tenir.

— Papa ne l'a pas tué, alors?

— Tuer un homme pour maman, je veux bien, mais
pas pour du whisky. Joe raconte des histoires.

— Tu crois que papa a tué un homme à cause de
maman?

— Mon Dieu, dit sa sœur. Non. Je n'en sais rien. J'ai
seulement voulu dire qu'il aurait pu.

L'heure du repas était arrivée, Yvette prépara un toast
aux œufs brouillés pour sa mère qui refusa de dîner. Ce
fut Yvette qui le mangea, seule dans la cuisine, tandis
que le ciel s'assombrissait, dehors. Elle se rappelait effectivement des caisses de whisky dans la cave et certains
problèmes les concernant. Il lui sembla se souvenir de
son père malade. Elle essaya de se remémorer l'une ou
l'autre conversation à propos de choses importantes.
Jamais il n'avait parlé de son foie en train de se détruire

de l'intérieur, pendant toutes ces années, ni de sa mère, après qu'Yvette se soit jetée à ses genoux, ou de Joe, quittant la maison si jeune. Pourtant, elle avait le sentiment qu'un lien les unissait, elle et lui, un lien qui se passait de mots.

Sa sœur arriva, autoritaire et compétente, pour la préparation des obsèques et prit le relais auprès de leur mère, et de retour chez elle, Yvette trouva Jamie toujours aussi cafardeux. Gail, sa petite amie, avait été engagée par sa tante comme serveuse, à Seattle, et elle avait pris un bus de la compagnie Greyhound dès le lendemain. Jamie se morfondait dans sa chambre, couché sur le ventre, effondré. Il acceptait parfois qu'Yvette s'asseye près de lui, à condition qu'elle n'essaie pas de le toucher ou de le consoler.

Yvette se demandait quoi faire quand sa sœur téléphona, disant que leur mère refusait toujours de s'alimenter mais qu'elle, Adèle, devait reprendre le travail. En attendant de lui trouver une maison de retraite, il fallait qu'Yvette revienne s'en occuper.

Teddy protesta.

– Tu ne vas pas nous abandonner encore une fois. On ne sait pas quoi manger.

Yvette fut interrompue dans sa liste de courses, des aliments ne nécessitant aucune cuisson – des bananes, des glaces et des sandwichs –, par un coup de téléphone de Clarissa lui annonçant que son couple battait de l'aile et qu'elle voulait revenir à la maison.

Au bout du fil, Yvette perdit toute patience. Personne ne lui avait témoigné la moindre tendresse depuis la mort de son père, et elle eut soudain le sentiment qu'aucun d'eux ne méritait sa tendresse à elle. De plus, elle avait fortement déconseillé à Clarissa d'épouser cet homme.

— Je ne serai pas là, dit-elle, surprise par la sécheresse de sa propre voix. Ma mère a besoin de moi. Mon père est mort, comme tu le sais. Je suis désolée, à propos d'Henry, mais je ne vois vraiment pas ce que je peux faire, là, maintenant.

Il y eut un silence à l'autre bout de la ligne. Yvette leva les yeux, vit Teddy qui la dévisageait avec stupeur, depuis le salon, et Jamie qui l'observait, dans le hall. Elle prit congé de Clarissa et jeta sa liste de courses.

— Vous n'aurez qu'à aller au McDonald, leur dit-elle.

— Comment peux-tu parler à Clar de cette façon? demanda Jamie.

— De quelle façon? dit-elle, agressive, sachant pertinemment ce qu'il voulait dire.

— Elle veut venir?

— Elle ne sait pas ce qu'elle veut.

— Est-ce qu'elle vient?

— Non.

– Elle pourrait nous faire à manger.

L'idée n'était pas mauvaise cependant Yvette était trop en colère pour l'admettre.

– Qu'elle fasse plutôt la cuisine à sa fille et à son mari.

– Je peux y aller?

Elle fut contrariée de déceler l'envie dans la voix de Jamie.

– Non, dit-elle. Et maintenant, je dois faire mes bagages.

Elle se leva, sans les regarder ni l'un ni l'autre, et se dirigea vers sa chambre en essayant de se frayer un passage dans le couloir, le long de Jamie, mais il l'attrapa par les épaules et la secoua sans ménagement. La surprise l'empêcha de réagir. Dans la pénombre, le visage de Jamie formait une tache imprécise, furieuse.

– Tu l'as chassée! dit-il d'une voix rauque. Comme tu as chassé Gail! Tu chasses tous ceux qui sont bons! Je te déteste! Je te déteste!

Il continuait à la secouer violemment, sa tête heurta le mur et Yvette crut qu'elle allait s'évanouir mais Teddy ceintura Jamie et ils s'effondrèrent tous les trois par terre, dans le couloir.

– Toi aussi, je te déteste! cria Jamie à Teddy.

En se débattant pour se sortir de la mêlée, il donna un coup de pied dans la mâchoire de Teddy. Il regagna tant bien que mal sa chambre et claqua la porte.

Teddy se leva en silence, se frotta la mâchoire et appela la police depuis le téléphone de la cuisine. Yvette demeura assise dans le couloir, encore étourdie, trop affligée pour pleurer. Jamie ressortit de sa chambre avec un sac de marin et un blouson, il enjamba Yvette. Sans leur adresser la parole, il quitta la maison, monta à bord de la vieille Ford Escort que Teddy lui laissait conduire et s'en alla.

À l'arrivée de la police, Yvette rectifia sa coiffure, ouvrit la porte et expliqua au jeune officier qu'il s'agissait d'un malentendu.

II

Toi dans qui je trouvais père, époux, frère, ami,
toi de tous les amants l'amant le plus cher,
ne vois-tu plus en moi ton épouse charmante,
ta fille, ton amie...
Héloïse à Abélard

Oh! Je L'aime!... Mon Dieu... Je Vous aime!
Dernières paroles, sainte Thérèse de Lisieux

14

Quand la marine en eut fini avec lui, Henry ne voulait plus être avocat. Il expliqua à Clarissa qu'il avait le choix entre rester assis en se lamentant de voir des hommes comme Nixon diriger le pays, ou essayer de changer les choses. Ils s'installèrent donc à Sebastopol, en Californie, au nord de San Francisco, où Henry pouvait être candidat à une législature d'État dans un district susceptible d'élire un démocrate. Clarissa serait volontiers restée à Hawaii mais il n'avait aucune chance, là-bas, en tant qu'outsider.

La marine se chargea d'emballer leurs affaires dans des caisses, y compris trois cadavres de cancrelats d'Honolulu avec leurs ailes, qu'elle expédia en Californie. À Sebastopol, la nouvelle maison était à huit kilomètres de Santa Rosa et du couvent où la mère de Clarissa avait passé sa troisième grossesse, ce qui ne sembla pas intéresser Yvette outre mesure. Quant à Clarissa, elle ne se sentait guère d'y aller en pèlerinage.

Henry fit du porte-à-porte durant toute sa campagne, à l'écoute d'électeurs auxquels il expliquait comment il allait remédier à leurs problèmes. Sur son portrait de candidat, il souriait, leur fille dans les bras. Clarissa avait collé la photo sur le frigidaire en souvenir d'une époque où Henry trouvait encore le temps de prendre Abby dans ses bras et de lui sourire. Il avait eu la petite fille aux yeux gris-vert qu'il désirait, Henry obtenait toujours ce qu'il voulait; il gagna les élections et partit à Sacramento pour la session parlementaire, laissant Clarissa seule dans une ville étrangère, avec l'enfant.

Clarissa, qui n'avait jamais douté de l'abondance des opportunités qu'offrait la vie, se sentait maintenant prisonnière d'une seule de ces possibilités. Partir pour Hawaii avec Henry n'avait pas été vécu comme un renoncement. Un monde nouveau s'ouvrait à elle: les cascades, la cueillette de moki-hana, les flirts avec les étudiants du collège, la rédaction des dossiers pédagogiques. À la naissance d'Abby, elle avait arrêté d'enseigner, mais s'occuper de l'enfant relevait aussi de l'inédit. Elle se renseigna sur l'allaitement, lut des ouvrages sur le développement du cerveau. Elle prenait des notes, établissait des comparaisons avec sa propre enfance. Elle savait qu'elle avait souffert de coliques à cause du lait en poudre et que son père mettait son berceau sous l'auvent de la porte de service lorsqu'elle criait. Nourri au biberon, Jamie avait eu des coliques, lui aussi. Elle allaita donc pendant deux ans, avec succès. Abby n'eut jamais de colique – jamais une seule. Toutefois, quand Abby commença à clamer en public : « Je veux téter », il devint embarrassant d'allaiter un enfant capable de parler et de suivre une conversation. « Le lait est foutu », décréta Abby lorsqu'elle n'y eut plus droit. Clarissa savait que ses parents seraient consternés.

Alors qu'elle venait d'arrêter l'allaitement, Clarissa fut saisie d'une peur proche de la panique à l'idée que Dieu l'appelle et lui demande de se faire nonne, la contraignant à abandonner son enfant. Abby n'avait pas été baptisée, Clarissa n'était pas allée à la messe depuis son départ de chez ses parents, mais il lui serait impossible d'ignorer l'appel de Dieu. Que ferait-elle ? Ce n'est pas rationnel, se dit-elle. L'enfant au sein lui manquait, elle cherchait une nouvelle intimité, une série de gestes à apprendre : les prières et les matines pour remplacer le rituel de l'allaitement. Des explications qui ne suffirent pas à la convaincre. La peur l'envahit physiquement, à partir du sternum, elle fut submergée. Cela se produisit pendant qu'elle mettait les draps à sécher dehors, un après-midi. Lâchant les pinces à linge, elle porta la main à sa poitrine ; la violence de la peur fut telle qu'elle s'imagina que c'était peut-être l'appel lui-même. En proie à une infinie tristesse, elle contempla Abby au volant d'une petite auto en bois, sur la pelouse. Comment lui dirait-elle au revoir ?

La panique persistant, Clarissa embarqua Abby dans la voiture et se rendit à Santa Rosa. Dans une église catholique, elle demanda à un homme en train de jouer de l'orgue s'il existait un couvent en ville, puis suivit ses indications jusqu'à une ancienne maison de style victorien dans un quartier paisible. Elle frappa à la porte, Abby sur la hanche. Une femme en jean et chemisier brodé ouvrit la porte ; des boucles blondes, couleur de miel, lui encadraient le visage.

– Oh, dit Clarissa. Je croyais… je cherche les sœurs.

– Je suis désolée, dit la femme. Vous les connaissiez ?

– Non.

– Elles n'étaient plus toutes jeunes, dit la femme comme pour s'excuser. La plupart étaient décédées lorsque nous avons acheté la maison. Certaines sont parties en maison de retraite et l'une d'elles se trouve dans un couvent à Detroit, je crois. C'était en 1969.

Clarissa hocha la tête.

– Vous êtes catholique, j'imagine, dit la femme. Je me sens toujours terriblement mal, lorsque quelqu'un vient. Vous voulez entrer ?

Elle montra les chambres à Clarissa, lui expliqua qu'elle avait trouvé des papiers peints anciens, pour les murs, et des meubles datant d'avant 1910.

– Les nonnes avaient un mobilier épouvantable, dit la femme. Elles n'avaient pas le choix, je suppose. C'était compris dans le prix de la maison, j'ai tout fait enlever. L'odeur aussi était bizarre. Mais il y avait une immense buanderie avec une vue magnifique. Elle alluma l'inter-rupteur pour éclairer la pièce aux murs jaunes, avec sa machine à laver et son séchoir. La fenêtre donnait sur les maisons et des arbres verts, au-delà.

De retour chez elle, Clarissa rédigea une lettre sur un bloc de papier à lettres officiel d'Henry dont Abby s'était servie pour dessiner. «Maman», écrivit-elle.

Aujourd'hui, j'ai visité ton ancien couvent qui a d'ailleurs cessé d'être un couvent. L'ordre l'a vendu à une famille luthérienne, les Hansen. Tu ne m'avais jamais dit combien l'endroit était beau. Comment était-ce, la vie là-bas ? J'ai pensé à l'appel. As-tu jamais imaginé que cela puisse t'arriver ?

Elle attendit la réponse, surveillant chaque jour la boîte aux lettres, et remit à plus tard les lessives de crainte de voir resurgir la peur éprouvée près de la corde à linge.

«Chérie», répondit sa mère sur un papier à lettres rose pâle. L'écriture au crayon était pratiquement illisible ; un entrelacs de dentelle sur le papier délicat.

Je suis allée au couvent parce que nous traversions une période difficile, ton père et moi, et l'arrivée de l'enfant me rendait nerveuse. J'étais très éloignée de Dieu, à l'époque, Il est pourtant venu à moi dans le couvent et m'a montré que notre rôle sur terre était de L'aimer. Il nous aime, Lui aussi, en dépit de nos défauts.

À la lecture de ta lettre, je crois comprendre que tu t'inquiètes de l'appel. Mais Dieu sait qu'Abby a besoin de toi, ma chérie. Il n'a pas l'intention de t'enlever. Tu peux Le servir chaque jour en servant ta famille. Telle est ta vocation.

Sa mère avait gommé ce qui suivait au bas de la page. Clarissa examina la feuille à contre-jour, distingua une allusion à un prêtre et aux problèmes posés par le célibat. Ce qu'elle vivait actuellement n'était guère différent du célibat, réfléchit-elle. Sur la partie effacée était écrit : « Ton père et ta mère qui t'aiment. »

Clarissa considéra longuement la lettre et se dit que la vie de sa mère, faite de contentement et de satisfactions, paraissait tellement plus simple que la sienne. La panique avait cessé de l'envahir ; elle pouvait à nouveau pendre paisiblement le linge tandis qu'Abby pilotait sa petite voiture. Cependant, elle se sentait dépossédée, ses opportunités avaient disparu, englouties dans la lessive des langes, la peinture avec les doigts, la cuisson des carottes, les mille et un petits détails qui composaient son existence. Elle s'efforça d'apporter un certain soin, un contenu, à ces détails, de les élever au rang de rituel : elle faisait ses yaourts elle-même, en en gardant toujours un pour la fournée suivante. Elle cuisait son pain tandis qu'Abby patinait en chaussettes dans les moules à pain à travers la cuisine. Elle utilisait des langes en tissu au lieu de couches jetables. Mais elle n'avait pas le sentiment de servir Dieu. Tout au plus avait-elle l'impression de servir Henry et Abby, et ce sans la moindre vocation.

Henry revint à la maison chargé d'avant-projets de loi à lire, et elle déclara qu'ils ne pouvaient vivre séparés s'ils voulaient que leur couple fonctionne. Trop occupé et trop fatigué pour discuter, Henry la ramena avec lui à Sacramento où ils emménagèrent dans le minuscule appartement qu'il gardait là-bas. Elle emmenait Abby assister aux débats et se lia d'amitié avec des collègues d'Henry et les lobbyistes qui hantaient les couloirs. Henry l'accusait de flirter avec eux alors qu'elle se contentait de commenter les projets de loi – et si les lobbyistes l'aimaient bien, qu'y pouvait-elle, après tout ? Cela s'avérerait peut-être utile, un jour. Ses idées étaient bonnes, disait-on. Elle envisagea de devenir lobbyiste à son tour ; elle obtiendrait peut-être des résultats, dans la recherche et la persuasion. Ayant eu envie d'assister à d'importantes sessions pendant trois après-midi différents, elle laissa Abby jouer sur le tapis du couloir, en toute sécurité, à l'extérieur des chambres. Et à trois reprises, quelqu'un trouva Abby en larmes, la couche sale, dans un des grands halls de marbre et l'amena à Henry qui siégeait dans une commission, l'obligeant à quitter sa réunion pour s'enquérir de Clarissa. La première fois, il sourit en disant : « J'ai du travail, Clar, je suis en réunion. » La seconde fois, il se contenta de : « Problème de couche. » La troisième fois, il lui tendit Abby sans un mot, le regard noir, mettant un terme à la carrière de lobbyiste de Clarissa. Elle retourna à Sebastopol, plus malheureuse que jamais. Si elle ne doutait pas du bien-fondé du combat d'Henry, ni lui ni son combat ne semblaient avoir besoin d'elle.

Abby avait sept ans lorsque Clarissa trouva finalement la force de le quitter. N'ayant pas d'argent à elle, pas de travail, elle ne pouvait partir de la maison ; elle devait demander à Henry de la lui laisser. Elle se disait que la situation aurait peut-être été plus simple si elle avait pris un amant mais l'énergie lui avait manqué, pendant la durée de son mariage avec Henry. Et elle n'aurait pas supporté qu'une liaison se révèle être aussi décevante que son mariage. Elle lui en parla à la table de la cuisine, un des rares soirs d'été où il était à la maison. Henry se frotta les yeux avec la paume de ses mains, la dévisagea, les yeux rougis, sans un mot. Elle attendit des questions qui ne vinrent pas, finit par se mettre au lit. Henry la suivit, des heures plus tard, sans la toucher, sans prononcer une parole. Elle comprenait : il travaillait le lendemain, il avait seulement besoin d'un endroit où dormir.

Elle l'aida à emballer ses affaires, à vider le bureau qu'ils partageaient et tomba sur la carte de visite d'un photographe professionnel rencontré du temps où Margot n'était pas mariée. Le photographe avait l'âge de ses parents, l'air d'un militaire, il disait avoir connu leur mère, autrefois, ce qui n'avait rien d'étonnant – qui ne connaissait pas Yvette ? Il aurait adoré photographier les deux sœurs, et avait demandé à Clarissa si l'idée de poser lui était déjà venue. Il lui donnait la chair de poule, et Margot était déjà loin. En considérant la carte, Clarissa imagina la conversation, au téléphone. Elle lui expliquerait qu'à vingt ans, elle était trop occupée pour poser mais qu'elle était d'accord, maintenant. Elle lui dirait qu'elle portait des soutiens-gorge, qu'elle avait une coiffure tellement abominable que sa fille de sept ans en devenait dingue, et des pattes d'oie naissantes. Elle ne s'était pas maquillée depuis 1972, pas même avec du rouge à lèvres transparent brillant. Pour le reste, en revanche, elle était prête. Elle sourit à l'idée de sa propre blague, et le chagrin la paralysa.

Ce soir-là, elle appela Margot à Baton Rouge. Owen, le mari de Margot, était directeur dans une firme pharmaceutique, comme les parents de Clarissa se plaisaient à le répéter, il rentrait tous les soirs à cinq heures trente. Ce n'était pas Margot, ni Owen, que Clarissa voulait voir, c'était Jamie. Après le collège, il avait curieusement débarqué chez Margot, à l'improviste. Il s'était fait embaucher sur un derrick et s'était installé en Louisiane.

– Je peux venir te voir? demanda-t-elle à Margot.

– Bien sûr, dit Margot. Owen va t'envoyer un billet.

Clarissa supportait mal que sa sœur ait deviné qu'elle était fauchée, même si c'était vrai. Et elle supportait mal qu'Owen soit si riche et si gentil.

– Ça ira, dit-elle. Je voudrais venir avec Abby.

– Il prendra un billet pour Abby aussi.

– Je veux juste venir vous voir, dit-elle. Vous n'avez pas à vous charger de tout.

Il y eut un silence au bout du fil.

– Eh bien, viens, je t'en prie, dit Margot.

Au petit déjeuner, Clarissa prépara des toasts aux œufs pochés et Abby étudia la carte routière.

– C'est trop loin, en voiture, la Louisiane, dit Abby.

– Ce sera l'occasion de visiter le Sud-Ouest.

– J'aurai assez à voir avec la Louisiane, dit Abby.

Clarissa déposa l'assiette d'Abby sur la table et considéra sa fille. À sept ans, elle faisait preuve d'un esprit rationnel qui semblait faire partie d'elle depuis toujours. Sans sœur cadette, Abby se conduisait néanmoins en grande sœur, ce que Clarissa avait voulu éviter par-dessus tout. Mais Clarissa l'emporta en disant :

— Dépêche-toi de finir ton petit déjeuner.

C'était elle l'adulte, après tout.

Elles prirent la Rabbit diesel acquise par Henry en réaction à la crise de l'énergie. Lorsqu'il l'avait achetée, Clarissa ne savait pas se servir d'un levier de vitesse, mais Henry avait dit : « Tu apprendras. » Puis il était reparti pour Sacramento, la laissant avec une voiture très performante qu'elle était incapable de conduire. Elle avait appris, à force de caler sur la route qui la conduisait chez le médecin, tandis qu'Abby hurlait sur le siège arrière victime d'une otite. Elle savait la conduire, maintenant. Elles emportèrent quatre cassettes : *The Muppet Movie*, *Imagine my Surprise* d'Holly Near, *Heart Like a Wheel* de Linda Ronstadt et *Hotel California* des Eagles. Au beau milieu de l'Arizona, elles commencèrent à évaluer les distances – jusqu'au camping prévu pour la nuit, jusqu'au lac dans lequel nager – en nombre de cassettes.

— On déjeune dans combien de temps ? demandait Abby.

— Deux *Muppet Movie* et une Linda Ronstadt.

— Il est encore loin, le lac ?

— Un *Hotel California* et une Holly Near.

— Non, pas Holly Near.

— Deux *Hotel California*, alors.

Abby passait des heures à étudier les boîtes des cassettes en silence.

— Pourquoi ils disent dans la chanson qu'on a beau payer la note, on ne quitte jamais l'hôtel ? demanda-t-elle.

Clarissa répondit qu'elle n'en savait rien. Sur les registres des campings, elle s'inscrivait sous son nom de jeune fille, *Clarissa Santerre,* un nom qui lui semblait irréel. Elle craignait d'être Clarissa Collins jusqu'à la fin de ses jours. Elle redoutait aussi de redevenir Clarissa Santerre : la gamine revêche que fustigeaient les nonnes. Elle se dit que l'hôtel de la chanson traduisait quelque chose de ces deux peurs, celle d'être coincée à jamais dans son mariage, ou coincée à jamais dans son enfance, ce qu'elle n'arrivait pas à expliquer à Abby.

Il faisait trop chaud, Abby passa la tête par le toit ouvrant, debout sur la banquette. Henry aurait trouvé cela imprudent, mais la Rabbit n'était pas équipée de l'air conditionné, Clarissa mourait d'envie d'en faire autant. Abby redescendit, ébouriffée par le vent.

— Je crois que j'ai une bestiole sur la dent. Quand est-ce qu'on mange ?

Clarissa n'avait jamais rien vu d'aussi vaste et d'aussi plat que le Texas, sa vision se brouillait à force de fixer l'autoroute égale et étincelante. L'air brûlait. Ses yeux brûlaient. Près de la frontière avec la Louisiane, elle téléphona à sa sœur.

— Où je suis ? cria-t-elle. Dis-moi que je suis tout près !

Il régnait une ambiance feutrée, presque solennelle dans la maison de Margot à Baton Rouge. On n'avait pas regardé à la dépense, les tissus étaient lourds et soyeux, les fenêtres parfaitement étanches, les murs solidement ancrés dans le sol. Deux chambres d'ami les attendaient, une pour Clarissa, l'autre pour Abby. Qui était aux anges. Le camping dans lequel elles avaient fait escale la nuit précédente était mal éclairé et un campeur solitaire les avait épiées tandis qu'elles revenaient de se brosser les dents, ce qui les avait amenées à dormir dans la voiture : Abby à l'arrière et Clarissa sur le siège passager abaissé au maximum.

Clarissa s'affala sur l'étendue moelleuse du couvre-lit, dans son débardeur trempé de sueur et son short, elle sentit le haut-le-cœur de sa sœur. Elle se souvint qu'elle ne s'était pas rasé les aisselles depuis des mois.

— Jamie vient souper, dit Margot. N'hésite pas à profiter de la piscine, si tu en as envie, et de la salle de bains, pour te rafraîchir.

— Tu as une piscine ?

— Tout le monde en a une, ici.

Clarissa envoya valser ses sandales.

— Jamie aussi ?

Margot la regarda.

– Non, dit-elle.

Au dîner, Owen fit griller d'énormes steaks et Jamie arriva en retard. Clarissa, fraîche d'avoir nagé, bondit pour serrer son frère dans ses bras mais il sembla intimidé par son contact. Il avait vingt ans, il était mince, son odeur évoquait à la fois le tabac froid et la cigarette que l'on vient de fumer. Margot lui offrit un siège sur lequel il prit place sans regarder personne.

Abby se débattait avec son couteau à steak mais, lorsque Clarissa se pencha pour l'aider, elle lança à sa mère un regard de défi qui la fit battre en retraite. Durant le trajet, elles avaient mangé essentiellement du riz et des haricots cuits sur un réchaud de camping. Margot parlait des lectures qu'elle faisait aux enfants à l'hôpital, un travail bénévole, et Clarissa vit son petit frère, plus vraiment petit, prendre le couteau et la fourchette des mains d'Abby et lui découper son gigantesque steak en petits morceaux.

Abby attendit tranquillement que Jamie ait fini et lorsqu'il reposa les couverts et se remit en position sur son siège elle continua à l'observer. Elle s'illumina au moment où elle croisa son regard.

– Tu sais pourquoi les éléphants portent des chaussettes ? demanda-t-elle.

Jamie eut l'air surpris.

– Je ne sais pas, dit-il.

Abby reprit son souffle, brusquement intimidée. Clarissa attendait la réponse.

– Parce que les chau-six sont trop petites et les chau-huit trop grandes, dit Abby dans une bousculade de mots.

Ils se dévisagèrent en silence. Jamie se fendit d'un sourire et Abby s'écroula de rire.

– C'est sa blague préférée, expliqua Clarissa.

Abby était au lit et Jamie fumait une cigarette, installé dans le jacuzzi, à l'extérieur. Clarissa fit quelques longueurs dans la piscine puis vint le rejoindre, sous les arbres, les pieds tressaillant au contact de l'eau chaude.

– Margot a bien réussi, n'est-ce pas? demanda-t-elle.

– Tu as eu des doutes, à un moment?

– Je pensais qu'elle nous surprendrait, dit Clarissa. Qu'elle enverrait tout promener.

Jamie eut un petit sourire triste et envoya son mégot par-dessus la cuve d'une pichenette.

– Margot a choisi le seul endroit d'Amérique encore plus bizarre et plus catholique que là où vivent Yvette et Teddy, dit-il. Et je suis venu la rejoindre. Tu parles d'une idée à la con.

– Elle a une maison magnifique.

– Elle a tellement envie d'avoir des enfants que le goût lui en vient à la bouche.

Clarissa se laissa aller en arrière dans le bain, jusqu'à

ce que ses cheveux flottent à la surface de l'eau, le regard perdu vers le ciel. Elle pensa que la vie aurait été tellement plus facile, sans enfant. Puis, pour se dédouaner, se rappela à quel point elle aimait Abby. Le ciel semblait proche et opaque.

— Ce sont les lumières ou les nuages qui masquent les étoiles, ici ? demanda-t-elle.

Jamie ne leva pas les yeux.

— Les deux, j'imagine. Margot t'a dit que j'ai été viré ?

Clarissa se rassit et secoua la tête.

— Un matin, je me suis réveillé et je n'ai pas eu envie de risquer ma peau avec une bande de détenus. Alors, j'y suis pas allé.

— Oh…

— Le lendemain, j'y suis retourné, pour m'excuser et reprendre le boulot et tout le derrick était parti.

— Parti où ?

— Aucune idée. Il restait plus rien. Le truc le plus invraisemblable que j'aie jamais vu.

Ils demeurèrent silencieux un moment.

— Je quitte Henry, annonça Clarissa.

Jamie soupira.

— C'est moche, dit-il.

Clarissa haussa les épaules et scruta les arbres au loin. Elle lui aurait volontiers posé plus de questions sur son travail, mais elle était en manque de compassion.

– Ce sera toujours mieux que de rester ensemble, dit-elle.

– Possible.

– Qu'est-ce que tu vas faire, maintenant?

– Risquer ma vie sur un autre derrick.

– Papa te paierait des études, dit-elle. Tu es tellement jeune.

Jamie alluma une autre cigarette, son expression se durcit dans la lumière du briquet à gaz.

– Je ne veux pas de l'argent de Teddy, dit-il.

Clarissa étudia son visage. Son père avait financé les études de Margot, au-delà de la bourse, et les siennes. Apparemment, Jamie ne voulait pas poursuivre la discussion. Elle se rappela le récit de sa mère à propos du chagrin de Jamie peu avant qu'il quitte la maison.

– Maman a fait allusion à une petite amie, dit-elle.

Jamie répondit qu'il ne souhaitait pas en parler, sortit du jacuzzi et rentra chez lui. Son petit frère adoré, celui qui lui avait appris ce qu'était l'amour, la traitait comme une adulte trop curieuse, à juste titre, sans doute.

Cette nuit-là et les suivantes, Clarissa dormit d'un sommeil agité dans le grand lit immaculé. La maison de Margot la submergeait: tellement immense, impeccable. Elle ressemblait à la maison de leurs parents, à Hermosa Beach, mais en plus grand, en plus astiqué, grâce à Rosa.

Clarissa pensa qu'elle serait gênée d'employer une Noire – ou n'importe quelle femme, d'ailleurs –, même si elle en avait les moyens. Ce serait pourtant bien pratique. Enfant, elle méprisait les Winston, cinq maisons plus bas, parce qu'ils ne nettoyaient pas leur poêle à frire électrique, après le petit déjeuner, et y laissaient la graisse figée toute la journée. Elle aurait du mal à leur jeter la pierre, désormais. Heureusement, Margot n'avait jamais vu sa maison. Rosa entretenait méticuleusement la poêle à frire de Margot.

Le moment viendrait où il lui faudrait rentrer, elle s'en rendait compte. Elle allait devoir faire face à Henry, engager la procédure de divorce. Mais avant, elle aurait traversé la Louisiane, le Texas, le Nouveau-Mexique, l'Arizona, et une grande partie de la Californie. Après un tel périple, divorcer serait une partie de plaisir. Rien que la pensée du retour en voiture l'épuisait et horrifiait Abby, elle le savait.

Elles logeaient chez Margot depuis une semaine lorsque Clarissa entendit des voix s'échapper de la chambre de sa sœur tandis qu'elle se baignait dans la piscine à la nuit tombée. Les fenêtres étaient ouvertes afin de laisser entrer un peu de la fraîcheur nocturne. Clarissa cessa de nager, l'eau redevint calme.

– Il aurait dû m'en parler à moi, disait la voix de Margot de l'autre côté du store.

– Il a peur de toi, dit Owen.

– Je ne comprends pas pourquoi il est venu s'installer ici.

Il y eut un silence qui sembla pesant à Clarissa.

– Cet argent est destiné à nos enfants, dit Margot. Penses-y.

Owen soupira.

– Nous n'avons pas d'enfants.

– Ça pourrait encore changer.

Un nouveau silence.

– Jamie est ton frère, finit par dire Owen. Il a simplement besoin d'aide.

– Et puis ce sera au tour de Clarissa, de demander, dit Margot. Avec le divorce, Abby…

Clarissa recula dans la piscine sans oser se remettre à nager, de peur qu'ils n'entendent le bruit de l'eau.

– Et alors? Si elle doit être la suivante, eh bien elle sera la suivante, dit Owen.

– Elle aurait au moins pu accepter les billets d'avion, dit Margot, elle serait restée pendant une période raisonnable. Ce trajet délirant. Elle est capable de passer l'été ici.

– Elle ne nous dérange pas. Et puis elle repart la semaine prochaine.

– Première nouvelle, dit Margot.

– Oh, Margot, dit Owen.

Dans la piscine, Clarissa reflua sans bruit vers les marches, où le bassin était peu profond, elle sortit furtivement de l'eau et s'enveloppa dans une des épaisses serviettes blanches de Margot. Elle sentait un picotement, au bord des cils, mais elle refusait de pleurer à cause de Margot. La bordure d'ardoise était encore chaude du soleil de la journée, elle s'assit sur la pierre, attendant que le reflet des fenêtres éclairées s'éteigne à la surface de l'eau et que la maison redevienne silencieuse.

Clarissa ne ferma pas l'œil, cette nuit-là. Elle pensa à sa grand-mère Lenore, qui avait quatre-vingt-dix ans et leur avait transmis de bons gènes de paysans français faits pour durer un siècle. Clarissa ne voulait pas vivre un siècle. À trente ans passés, elle se sentait épuisée et malheureuse, l'idée de vivre encore soixante-dix ans n'était pas tenable. Couchée dans la luxueuse chambre d'ami de Margot, ses vêtements sales empilés dans un coin, elle pensa — et ce n'était pas la première fois — qu'elle aimerait se fondre dans la terre, devenir l'engrais d'un jardin, quelque part. Mais on ne se transforme pas en engrais quand on a un enfant.

Le lendemain matin, elle téléphona à Jamie, chez lui.

— On repart aujourd'hui, dit-elle.

— T'es pas restée longtemps.

— Je voulais te proposer, dit-elle, de venir vivre avec moi, en Californie, tu m'aiderais à m'occuper d'Abby.

Jamie ne dit rien. Elle avait eu la certitude qu'il refuserait, pourtant le simple fait d'avoir émis cette suggestion à voix haute la rendait vraisemblable. Encouragée par son silence, elle enchaîna.

— Henry va déménager, je vais devoir me remettre à travailler, dit-elle. Les baby-sitters coûtent une fortune.

Jamie ne réagissait toujours pas.

— Je veux dire, je ne pourrais pas te payer, dit-elle. Mais tu serais nourri, tu n'aurais pas de loyer. Il ne faudrait pas que tu fumes dans la maison, j'imagine. Et c'est petit.

— Je vais y réfléchir, finit par dire Jamie. Merci, Clar.

— Et si tu partais maintenant, avec nous! dit-elle.

Elle éprouva un immense soulagement. Ce serait tellement bon d'avoir un deuxième chauffeur. Il apporterait d'autres cassettes, lui ferait la conversation, un autre adulte dans la voiture. Il ferait fuir les hommes bizarres dans les terrains de camping, l'aiderait à allumer le réchaud capricieux.

— J'ai un appartement plein d'affaires, ici, dit-il. Je ne peux pas m'en aller aussi vite.

— Bien sûr, dit-elle — bien sûr, il ne pouvait pas venir tout de suite. Enfin, dépêche-toi.

— Je vais y penser.

— OK.

Elle ne pouvait s'empêcher de sourire. Il allait venir.

— Clar, est-ce que tu sais pourquoi je suis né en France ?
demanda Jamie à brûle-pourpoint.

Dans son enthousiasme, Clarissa s'était enroulé le cordon du téléphone de Margot autour du poignet, elle
essayait maintenant de se dégager sans endommager la
torsade.

— Tu es né à Santa Rosa.

— Non, en France, dit-il. J'ai eu besoin d'un certificat
de naissance, pour l'assurance, et j'ai contacté l'état civil,
à Hermosa. Tout est en français, sauf mon nom et ceux
de papa et maman.

— C'est invraisemblable. Tu as posé la question à
maman ?

— J'ai demandé à Teddy, il n'était pas au courant.

— Moi non plus, dit-elle en libérant son poignet. Bon,
on va se mettre en route. Tu me promets d'y réfléchir ?

— Promis, dit-il.

Elle fit les bagages et installa Abby dans la voiture avec
la sensation délicieuse d'avoir convaincu Jamie et échappé
à Margot. Alors qu'elles roulaient sur l'autoroute, Abby
chantait avec les Muppets : *Movin' right along, footloose
and fancy-free...* Elles rentraient au bercail.

15

À quatre-vingt-onze ans, vous avez une vie tellement longue derrière vous, que vous vous sentez terriblement âgée pour endurer une nouvelle fête d'anniversaire.

Ainsi parlait Lenore pendant sa partie de cartes matinale, sous la véranda.

– Chacun s'étonne de vous voir encore en vie, vous attirez les foules, on vous assaille de questions.

– Ah, c'est difficile d'être célèbre, dit Édith Cadieux en souriant et en ordonnant ses cartes dans sa main. Au moins, ils vous le fêtent, votre anniversaire.

– L'année prochaine, je vous cède ma place, vous couperez le gâteau et vous répondrez aux questions, dit Lenore. Ils ne s'en apercevront même pas.

– Je risque de vous prendre au mot, dit Édith.

– Les gâteaux d'anniversaire sont ce qu'il y a de pire au monde, de toute façon, dit M. Osbert.

Cela faisait des années qu'il n'avait pas reçu une visite ni fêté son anniversaire.

— On a l'impression de manger une éponge de cuisine enduite d'un glaçage à base de produit pour nettoyer l'argenterie.

— Qu'est-ce que vous connaissez à l'entretien de l'argenterie? demanda Édith. Vous avez déjà astiqué de l'argenterie?

— Parfaitement, dit M. Osbert. Ma femme avait horreur de faire ça, et j'adorais voir disparaître ce voile grisâtre.

— Cette carte est pour vous, si vous en voulez, monsieur Osbert, dit Lenore.

M. Osbert la recouvrit d'une carte tirée dans la pile et passa son tour, comme l'escomptait Lenore. Elle ramassa le pli. La plus belle fête qu'elle ait jamais vécue demeurait le réveillon du nouvel an de 1899 où elle s'était retrouvée sous l'auvent de la maison de son grand-père en train de taper sur une casserole armée d'une cuillère. Elle était âgée de dix ans et n'avait jamais vu une telle excitation. Hormis l'oncle Eugène, qui affirmait que le nouveau siècle ne commencerait qu'en 1901, tout le monde dansait, criait, s'embrassait et on faisait brûler mille et une choses. Finalement, même l'oncle Eugène s'était laissé gagner par cette frénésie, il avait hissé Lenore sur ses épaules pour valser dans la rue. Après cela, les anniversaires étaient condamnés à manquer de panache.

Cette année, son arrière-petite-fille Abby était venue accompagnée de Jamie, parce que Clarissa était retenue par son divorce. Avec quelle insouciance les femmes d'aujourd'hui divorcent, se disait-elle, c'est incroyable. En un coup, vous perdez votre mari, vos amis, votre paroisse et pour obtenir quoi ? Des enfants que vous n'avez pas les moyens de nourrir. Jamais elle n'aurait quitté Léo, même si les femmes en étaient toutes folles et qu'il en profitait. C'était un coureur de jupons, un débauché, elle pouvait bien l'avouer, maintenant. Mais il était loin d'être le seul dans ce cas, et elle l'aimait. Quand Jamie lui demanda de raconter à Abby son mariage, tout lui revint en mémoire, jusqu'au moindre détail, comme si c'était la veille.

Léo travaillait aux usines Ford de Detroit, de l'autre côté du fleuve, et le jour de la noce, il était arrivé devant la maison au volant d'une automobile Ford, modèle T, aveuglante tant elle étincelait. On se précipita sous l'auvent, pour l'admirer. La mère de Lenore prétendit que voir la mariée avant la cérémonie portait malheur, mais Léo voulait amener Lenore à l'église en grande pompe. Ils sortirent de la ville et s'arrêtèrent dans un champ doré par le soleil du matin. Léo voulut embrasser Lenore Theveneau une dernière fois, avant qu'elle ne devienne Lenore Grenier. Elle n'avait pas décrit ce baiser, cet ultime baiser de jeune fille, aux enfants qui la questionnaient sur son mariage. Il lui appartenait, à elle seule. Les baisers de

Léo lui avaient donné l'impression que le sol se dérobait sous elle, comme dans un mauvais rêve, sauf que là, c'était merveilleux.

À leur arrivée à l'église, tout le monde les attendait, sa mère l'avait entraînée dans une petite pièce, à l'arrière, pour lui mettre la robe qu'elles avaient confectionnée ensemble. Lenore se sentait encore étourdie par la vitesse de la voiture, l'effet des baisers de Léo mais aussi – bien qu'elle ne l'ait dit à personne, pas même à Léo – par l'enfant qui se développait en elle depuis peu. Elle avait remonté la nef, dans la robe devenue un peu trop juste, et répété les mots du prêtre, puis Léo l'avait à nouveau embrassée. Un baiser délicat, public, pourtant elle avait à nouveau cru s'évanouir. Et elle était devenue une autre femme, une femme mariée, Lenore Theveneau Grenier. Elle avait vingt et un ans, sa vie commençait.

– C'est à vous de jouer, *arrière-grand-mère**, dit Édith.

Elle la taquinait, parce que Lenore redevenait elle-même à la table des cartes, la bonne vieille Lenore, celle qui ne connaissait pas tous ces enfants, petits-enfants et arrière-petits-enfants, fidèle à cette autre part d'elle-même, réduite certes, mais toujours présente. Elle se débarrassa d'un huit de trèfle inutile.

– Que voulez-vous que je fasse de ça ? dit M. Félix, à sa gauche.

Il recouvrit la carte et fit passer à Édith. Les hommes

avaient demandé à Lenore de les appeler par leur prénom, ce qu'elle n'avait jamais fait. Jouer aux cartes avec eux, seule, était amplement suffisant. Léo serait devenu fou, s'il avait été encore en vie, mais elle considérait qu'il pouvait lui lâcher un peu la bride, maintenant qu'il était mort.

Léo n'avait pas eu une enfance heureuse, voilà pourquoi il s'était montré si jaloux. Il avait perdu sa mère à douze ans et une domestique était venue habiter chez eux pour tenir le ménage. Son père travaillait aux chemins de fer, toujours parti par monts et par vaux, et couchait avec la domestique lorsqu'il rentrait à la maison. Léo et les autres enfants savaient tous où il dormait mais, hormis quelques plaisanteries lancées par leur père au petit déjeuner, personne n'en parlait. Les blagues semblaient destinées uniquement à la domestique qui le faisait taire. Matrone fruste, même dans sa plus belle robe, elle emmenait les enfants prier la Vierge à la messe chaque dimanche et Léo avait grandi dans la confusion, cherchant désespérément à protéger sa sœur Rosalie de l'indignité du monde.

Lenore n'avait jamais révélé à son mari que leur premier enfant, Joseph, le garçon, n'était en aucune façon né prématurément. Elle ne l'avait dit à personne ; le médecin le savait probablement, il avait toutefois gardé le secret. Même s'il ne faisait aucun doute que Léo était le père de l'enfant, il l'aurait peut-être traité différemment s'il avait vu en lui le témoignage de leur péché. Un risque qu'elle n'avait pas voulu courir.

Lenore abattit ses cartes la première, alignant sur la table une suite de quatre piques, assortie d'un pique supplémentaire, pour faire bonne mesure, et de trois neuf et trois six dont elle n'avait même pas besoin. Il ne lui restait que sa défausse qu'elle joua, les clouant tous sur place, leurs cartes en main.

– Comment faites-vous, Lenore ? demanda Édith. Comment vous y prenez-vous, à chaque fois ?

Les autres abaissèrent leurs cartes et firent le décompte des points, et M. Félix inscrivit la marque. Lenore observa M. Osbert tandis qu'il battait les cartes avec une lenteur méthodique, encore et encore. Il tendit le paquet à Lenore qui coupa, pour lui faire plaisir.

Il existait une catégorie d'hommes jaloux pour un oui pour un non et qu'il fallait accepter tels quels, ainsi était Léo. Et il existait une autre catégorie d'hommes, capables de se montrer jaloux si les circonstances s'y prêtaient, comme Teddy. Lenore s'en était rendu compte la première fois que sa fille l'avait amené à la maison, de même qu'elle savait qu'Yvette était le genre de femme à éveiller de la jalousie chez une pierre. Il fallait qu'Yvette soit au centre de l'attention générale, elle faisait tout pour cela. Ce n'était pas une mauvaise fille, elle avait simplement cette façon de s'assurer, en pénétrant dans une pièce, que les gens l'avaient remarquée – un coup d'œil suffisait. Son père, surtout, y était sensible. Jamais il n'accepta son départ. Un jour, Teddy était un élève pilote arrogant, venu chercher Yvette dans une voiture à soixante dollars; le lendemain, il lui téléphonait de l'étranger avec un rhume, expliquant que la maladie le dispensait des entraînements en vol, un répit qu'ils pourraient mettre à profit pour se marier en Californie. Et elle était partie. La rupture entre Léo et Yvette, typique des relations père-fille si étroites, était consommée.

– Oh, quel jeu, dit Édith dans un soupir en mettant de l'ordre dans ses cartes. Merci, monsieur Osbert.

Yvette n'avait jamais parlé de son mariage – elle possédait cette élégance: on ne se plaignait pas de celui qui vous avait conduite à l'autel, elle le savait. Vous aviez fait un choix, quand bien même vous n'étiez qu'une enfant à l'époque, et le serment du mariage était sacré. Lorsque Léo s'était fâché parce que Lenore jouait aux cartes avec d'autres femmes mariées, elle avait organisé les parties à l'arrière de son épicerie. Puisque ce qui échappait à son regard l'inquiétait, il suffisait de le lui montrer.

– Vous m'avez servi un jeu cauchemardesque, mon cher, dit Édith. Vraiment.

Quand Léo s'était effondré dans le lavabo rempli de sang, elle avait eu la certitude qu'elle le suivrait de près.

Ses filles la trouvaient stupide – surtout Adèle qui savait que Léo avait eu des maîtresses. Mais Lenore ne concevait pas la vie sans Léo à ses côtés, sur le point de l'embrasser, de prononcer son nom. Elle était incapable de dormir dans le lit vide, d'absorber de la nourriture. Ses filles se relayaient auprès d'elle, la houspillaient parce qu'elle ne mangeait pas, mais elle était déterminée à suivre Léo, où qu'il soit.

Lenore avait peu dormi et rien avalé depuis deux semaines – hormis l'eau dans laquelle Yvette diluait du sucre, en représailles – lorsqu'elle le vit, debout au pied de son lit. Il lui dit d'aller dans la cuisine et de manger. Elle lança le bras en avant pour atteindre son mari, l'attirer à elle, mais sa main passa au travers et heurta le montant du lit en cuivre, lui meurtrissant le poignet.

Adossée à la tête de lit, après son départ, elle rassembla ses forces et gagna la cuisine en chemise de nuit. Elle découpa un saucisson sec en fines rondelles qu'elle mangea avec du pain et du lait. Après avoir vomi ce premier repas, elle fut à nouveau en état de manger, comme le lui avait ordonné Léo.

Les filles lui trouvèrent une maison de retraite, un endroit très bien : une longue véranda courait tout le long du bâtiment qui surplombait le lac Supérieur. Le premier jour, Lenore avait passé en revue les hommes et les femmes âgés, livrés à l'ennui sous la véranda, et proposé une partie de cartes.

Elle regardait tour à tour ses amis maintenant, Édith,
M. Félix et M. Osbert. Elle se défaussa et termina la partie le tour suivant, les prenant tous de court en abattant
un jeu riche en points. Jouer aux cartes sous la véranda
lui avait permis de découvrir, pour la première fois,
qu'elle pouvait être heureuse sans Léo. Les parties – le
rami de sa mère et le poker à un penny de l'oncle
Eugène – commençaient après le petit déjeuner, dès
qu'elle descendait de sa chambre. Elle pouvait jouer une
journée entière, sans se sentir obligée de dire à qui que ce
soit où elle était allée.

Elle était contente, en fin de compte, d'avoir été trop
robuste pour mourir avant de recevoir le message de Léo
lui enjoignant de vivre, et heureuse de voir sa famille se
perpétuer à travers Yvette, puis Clarissa, puis Abby. Abby
aurait des enfants à son tour, ils auraient en eux un peu
de Léo et un peu de Lenore. Elle n'attendrait plus très
longtemps avant de le rejoindre ; il ne devait pas espérer
qu'elle continue encore longtemps ainsi. Tranquillement
assise, elle observait l'agitation d'Édith qui ne savait pas
quelle carte jouer, et guettait sa chance de remporter la
partie, tel un chat aux aguets.

16

Yvette ne s'était jamais sentie vraiment proche de sa mère. Elle l'avait aimée, d'une manière générale, mais n'avait pu s'empêcher de voir en Lenore une rivale sur le terrain de l'affection paternelle. Elle fut d'autant plus surprise, à cinquante-sept ans, par le choc que lui causa la mort de sa mère. Il aurait été plus normal de célébrer l'existence d'une personne ayant vécu si longtemps — lucide, en bonne santé, encore capable de gagner aux cartes — et non de pleurer sa disparition de façon morbide. Ainsi, Yvette garda son chagrin pour elle. Il lui arrivait de transporter une pile de draps encore tièdes du séchoir et d'éclater en sanglots incontrôlés dans le couloir. Elle s'adressa à Dieu, tandis qu'elle désherbait le jardin, lui confia son espoir de voir les choses s'apaiser, sans vouloir pour autant oublier sa mère, car la vie de tous les jours était devenue difficile.

Le fait d'avoir vécu si longtemps loin de sa mère, et de ressentir si fortement son absence, l'amenait à penser à ses propres enfants, si éloignés eux aussi. Lorsqu'elle parcourait le hall, époussetait chacune de leurs anciennes chambres, elle s'attendait à se cogner à eux dans chaque coin : Margot en chaussettes blanches, Clarissa avec ses nattes, Jamie dévalant l'escalier coiffé d'une casquette de base-ball. Teddy, encore pris par son travail, ne remarquait pas grand-chose. Yvette, elle, avait moins à faire, les enfants étant partis, et plus de temps pour sentir la tristesse.

Abby, sa petite-fille, avait un jour demandé à Yvette ce qu'elle avait rêvé d'être, à l'âge adulte. Yvette lui avait expliqué combien était différente l'époque où elle avait été, elle, petite fille : on pensait seulement à se marier et à avoir des enfants, personne n'imaginait faire quoi que ce soit d'autre. Être une épouse et une mère semblait un objectif merveilleux, et elle était devenue les deux. La réponse avait paru déconcerter Abby et Yvette avait ajouté que sa vie avait été très heureuse. Les femmes de l'âge de ses filles, auxquelles s'offraient tant de possibilités, paraissaient ne se satisfaire d'aucune – cela, Yvette le tut à Abby.

Teddy prendrait très prochainement sa retraite, le sujet la préoccupait plus que tout. Elle se demandait ce qu'il ferait, à longueur de journée à la maison. Depuis le départ de Jamie, les tensions s'étaient apaisées au sein du couple, mais il lui paraissait important de garder une certaine distance entre eux, de ne pas être ensemble du matin au soir. Il parlait des promenades qu'il ferait, des livres qu'il lirait, du temps qu'il consacrerait à la paroisse – mais elle redoutait de le voir contrôler ses moindres faits et gestes, s'agiter et devenir soupçonneux, ainsi que l'avait fait son père, au point qu'elle ne pourrait plus aller au supermarché sans qu'il se fasse des idées. Teddy était différent de son père – sa jalousie avait atteint des sommets lorsqu'il était loin, à la guerre –, Yvette n'en demeurait pas moins nerveuse, persuadée que Teddy l'était également. Il se mit à élaborer des projets de week-ends, comme pour prouver qu'il serait capable de s'occuper, une fois à la retraite, sans être constamment dans ses jambes.

Un samedi, alors que Teddy rangeait sa remise, dans le droit fil de sa campagne pour se rendre utile, il vint trouver Yvette, le front brillant de sueur, une enveloppe en kraft à la main. Il la lui tendit, sans un mot.

Elle sortit les tirages de l'enveloppe défraîchie et le trio apparut devant elle : Margot, irréprochable, Clarissa, les dents aussi irrégulières que son ourlet, et Yvette, tellement jeune, avec ses cheveux noirs fixés par une mise en plis et son sourire éméché. Yvette porta la main à ses cheveux, devenus blancs, les lissa derrière ses oreilles et attendit.

Teddy demanda :

– Il ne s'est rien passé avec ce photographe, n'est-ce pas ?

Elle secoua la tête.

– Non, dit-elle.

Il resta un moment silencieux, comme pour s'imprégner de ce fait.

– J'ai une autre question à te poser, dit-il.

Yvette savait ce qui allait suivre. Elle empila les photos, aligna les bords, attendant que Teddy trouve ses mots.

– Jamie, finit-il par dire. Il est né en France.

Yvette acquiesça.

– Quand je t'ai posé la question, l'an dernier, parce que Jamie me l'avait lui-même posée, tu m'as dit que tu étais allée voir Margot.

– Je suis effectivement allée la voir.

– Mais tu n'as pas accouché, là-bas.

Yvette hésita, finit par dire :

– Non.

– C'est Margot, qui a accouché.

Yvette se taisait.

– Est-ce que quelqu'un d'autre est au courant ? demanda-t-il.

– Seulement les Planchet, en France.

Teddy se tut une minute, pensif. Sa voix était épaisse, lorsqu'il parla.

— J'avais ce sentiment, ce sentiment que…, dit-il sans terminer sa phrase. Il faudrait peut-être le dire à Jamie.

— J'ai promis à Margot, dit-elle. Les gens ne doivent pas toujours tout savoir. Si je ne t'avais rien dit, au sujet du photographe, tu ne te serais jamais inquiété.

— Si.

— Pas autant.

Teddy regarda le sol.

— En temps de guerre, on gardait des secrets, dit-il comme s'il essayait de formuler une idée. C'était nécessaire.

— Oui, dit Yvette.

— La confession est un secret.

Yvette hocha la tête.

— Nous avons des secrets dans le travail. C'est le business.

— Oui, dit-elle à nouveau.

— Je crois qu'on ne doit pas laisser notre famille dans l'ignorance. Je pense que Jamie doit le savoir.

— C'est notre fils, dit Yvette. Je ne vais pas lui dire qu'il ne l'est pas.

Elle s'attendait à ce que Teddy discute mais il retourna dans sa remise et s'abstint d'aborder le sujet par la suite.

17

Quand Clarissa avait quitté la Louisiane en lui proposant de la rejoindre en Californie, Jamie s'était fait prier. Il n'avait besoin de l'aide de personne, se disait-il – toutefois l'idée que Clarissa avait, elle, besoin de *son* aide finit par l'emporter. Il résilia le bail de son appartement, remplit la Ford Escort rouge et prit le chemin de la Californie où il emménagea avec sa sœur. Le divorce de Clarissa avait été prononcé, l'État l'employait en tant que médiatrice auprès des maisons de retraite, elle allait de ville en ville, s'entretenait avec les personnes âgées et répondait à leurs demandes. Jamie trouvait que ce travail lui convenait à merveille : il avait beau adorer sa sœur, il pensait qu'être confrontée aux problèmes des autres lui faisait le plus grand bien.

Clarissa habitait un petit bungalow en bardeaux, avec une corde à linge, un patio ensoleillé et un rang de rosiers, d'où Henry avait totalement disparu. Elle emprunta un lit qu'elle installa dans la salle de jeux attenante à la chambre d'Abby, ôta des étagères les livres et les jouets de sa fille pour faire de la place à Jamie. Il jouait de la guitare dans le patio en chantant «Tangled Up in Blue» à Abby et en lui montrant les accords.

En septembre, il s'inscrivit à une formation en mécanique au centre universitaire. Les cours avaient lieu deux fois par semaine, coûtaient six dollars la session et il emmenait Abby avec lui. Abby lisait ses propres livres ou écoutait tandis que Jamie prenait des notes sans qu'aucun des professeurs ne trouvât à redire. Elle s'asseyait avec lui à la table de la cuisine, pendant qu'il faisait ses devoirs, et lorsqu'il en avait assez, ils jouaient aux cartes. Elle ne connaissait que le rami de sa grand-mère, d'un ennui mortel à seulement deux joueurs et il lui apprit le poker à cinq cartes. Abby pariait avec prudence même quand elle avait un bon jeu. Il promit de lui donner tous les pennies, à la fin de la partie, si elle prenait un peu plus de risques, mais elle s'arrêtait toujours de parier avant lui, en fonction des mises de Jamie, et se retirait dès qu'elle croyait perdre.

Il lui apprenait les trucs de base, qu'il pensait être utiles. Si l'instituteur leur demandait de choisir un nombre entre un et dix, et que sa voisine de classe prenait le trois, Abby devait prendre le...

– Quatre, dit-elle.

176

Et si sa voisine prenait le sept?

— Le six.

Ils s'entraînaient en voiture, mais elle cessait de respirer lorsqu'ils longeaient les cimetières et touchait du verre s'ils passaient à l'orange.

— Laisse tomber la superstition, lui disait Jamie. Joue sur la moyenne.

Abby se contentait alors de secouer légèrement la tête tout en continuant à retenir son souffle et à toucher la vitre, pour apaiser les pouvoirs magiques. Un jour qu'ils rentraient en voiture du cours de mécanique, Abby demanda pourquoi les forces magnétiques n'attiraient plus la voiture de Teddy jusque chez Dairy Queen.

— Redis-moi ça, dit Jamie.

Confuse, elle rougit des pommettes à la racine des cheveux.

— Eh bien d'habitude, elle allait chez Dairy Queen en quittant la maison, dit-elle.

— Quand c'était la voiture de papa?

Abby hocha la tête.

— Elle a arrêté, dit-il. Je suis fauché.

Abby se tut.

— Tu te souviens qu'on a étudié les aimants? demanda-t-il. Il n'y a pas d'attraction magnétique dans les glaces.

— Je sais, dit Abby.

— De toute manière, il n'y a pas de Dairy Queen, ici.

– Il y a un Foster's Freeze.

La voiture rouge trouva le chemin de Foster's Freeze, et ils achetèrent un tiers de cornet pour Clarissa qu'ils ramenèrent à toute vitesse, avant qu'il fonde.

Dans le patio, le pouce dégoulinant de glace, Clarissa dit :

– J'adore que tu sois ici, Jamie. Vraiment. Je suis allée jusqu'en Louisiane voir Margot, et elle n'est jamais venue ici.

– C'est qui, celui qui t'aime, baby ? dit Jamie.

Jamie obtint un B à la fin du cours de mécanique mais il ne s'inscrivit pas pour la session suivante. Au rythme d'un cours par semestre, il mettrait seize ans à obtenir son diplôme. Et l'idée de suivre quatre cours en même temps le tuait. Ses parents téléphonaient de temps à autre, lui demandaient ce qu'il devenait. Teddy insistait pour qu'il se lance dans la vente. Jamie était infiniment reconnaissant à Clarissa et Abby de le laisser tranquille. Chaque jour, il accompagnait Abby à l'école et allait la rechercher, à pied, et préparait le dîner, même si cela se limitait à un croque-monsieur décoré d'un petit visage souriant tracé à la sauce Worcestershire sur le pain. Il tondait la pelouse, dégageait les gouttières des feuilles mortes. À Noël, il accrocha les guirlandes dans le sapin, joua des chants de Noël à la guitare, et trimbala l'arbre dans l'allée lorsqu'il commença à perdre ses aiguilles. Il se sentait utile, il était heureux.

Rempli d'ambition pour la nouvelle année, il classa les disques de Clarissa par ordre alphabétique. Henry avait apparemment repris les Beatles et les Stones mais Clarissa était parvenue à sauver les Dylan. Il y avait un paquet de Linda Ronstadt et de Donavan, et des disques chrétiens pour enfants envoyés à Abby par Yvette. Derrière le tout, relégué au fin fond de l'étagère, apparut un vieux quarante-cinq tours produit par un obscur label artisanal. Jamie changea la vitesse du tourne-disque et, après le dîner, il emmena Abby et Clarissa dans le salon et roula le tapis. Il baissa la lumière, demanda à sa sœur de fermer les yeux pendant qu'il déposait le saphir sur le disque. Une voix masculine nasillarde se mit à chanter son nom.

— Oh non! s'écria Clarissa, en écarquillant les yeux.

— Quoi? dit Abby.

Jamie prit sa sœur dans ses bras, la fit danser dans le salon en chantant le peu qu'il connaissait:

— *Da-dee-dee-da, Miss Clarissa...*

— Oh, je suis gênée, dit Clarissa en continuant néanmoins à se laisser mener par son partenaire.

— *Love you truly, Miss Clarissa,* chantait Jamie.

— J'aurais dû épouser Jimmy Vaughan, dit-elle.

— Abby a peut-être son mot à dire, là-dessus.

La face B était un morceau de musique, Jamie et sa sœur se lancèrent dans un jitterbug endiablé, montrant les mouvements à Abby. Elle voulait surtout qu'on la fasse tourner le plus possible, sans trop se soucier de la mesure. Quand le disque s'arrêta pour la quinzième fois, le bras ayant regagné de lui-même son support, ils s'affalèrent sur le canapé. Jamie était en sueur.

— Jamais Mlle Blair ne nous aurait laissé danser le jitterbug, dit Clarissa. Trop risqué.

— C'est qui, Mlle Blair ? interrogea Abby.

— La professeur de danse, au Sacré-Cœur, dit Clarissa. Elle nous apprenait uniquement le fox-trot et la valse. Elle donnait des cours avec M. Tucker, avant qu'il s'en aille. Mon Dieu, je me demande s'ils couchaient ensemble.

— Ça a un petit parfum d'adultère, dit Jamie. Se vautrer dans le péché à l'abri d'une charmante école catholique.

— Non, je ne dirais pas cela, reprit Clarissa. Mlle Blair était tellement guindée.

— Raison de plus.

— C'est quoi un adultère ? demanda Abby.

— C'est un adulte, dit-il.

— Il faut être marié, non ? s'enquit Clarissa.

— C'est un adulte marié.

Il remit le saphir sur le disque.

— Je suis sûre que non, ils n'ont jamais fait une chose pareille, dit Clarissa.

— Et moi, je suis sûr que si, dit-il au moment où la musique commençait.

Un jour, au début du printemps, Henry s'arrêta à la maison. Jamie fumait une cigarette dans le patio, il l'écrasa dans un pot de fleurs. Habituellement, Henry prenait Abby à l'école et la déposait ensuite devant la porte, et Jamie ne l'avait pas encore rencontré. Il parut heureux de voir Jamie.

— Qu'est-ce que tu deviens? demanda-t-il.

— Je vis ici, dit Jamie.

— C'est tout?

— Tu parles comme mon père.

— Oh, ne fais pas attention à ce que raconte ton père, dit Henry. C'est formidable, pour Abby.

— J'espère.

— Il n'y a aucun doute.

Ils semblèrent avoir épuisé les sujets de conversation.

— J'ai toujours ton disque *Meet the Beatles*, lança Jamie.

Le regard d'Henry, un instant voilé par la confusion, s'éclaira brusquement.

— Non! dit-il. Ça doit valoir quelque chose, maintenant.

Jamie fronça les sourcils.

— Tu veux dire depuis que Lennon est mort?

— Oh… non, dit Henry. Pas pour ça. Parce qu'il est vieux, c'est tout.

— Je crois pas que je le vendrais, dit Jamie. Tu veux le récupérer?

— Non, dit Henry. Il ne m'a pas manqué, jusqu'à présent.

— Comment ça se passe, à l'Assemblée?

— Terrible. Je crois que j'en ai fait le tour.

Jamie se sentit prudent, soudain.

— Ah bon?

— Je vais trouver quelque chose plus près de chez moi, je crois, dit Henry. Je veux être là pour Abby. Elle a besoin d'un père.

Jamie acquiesça.

Henry regardait le mégot dans le pot de fleurs.

— Tu ne fumes pas à côté d'Abby, hein?

Jamie fit non de la tête.

— Elle est là?

Sachant qu'il n'aimait pas entrer dans la maison qui avait été autrefois la sienne, Jamie alla chercher Abby puis se rassit dans le patio, après le départ du père et de la fille pour Foster's Freeze. Les yeux fermés, il sentit le soleil d'hiver sur son visage et se dit que la vie devait être plus facile quand on connaissait sa place dans le monde.

18

Le père d'Abby avait quitté l'Assemblée, Jamie n'était plus là et sa mère se sentait seule, ce qu'Abby comprenait parfaitement. Clarissa avait des petits amis, certains ramenaient Abby de l'école, lui préparaient à manger, lui offraient des cadeaux. D'autres attendaient qu'elle soit couchée pour se manifester, elle n'en percevait pas moins une présence dans la maison : une veste d'homme abandonnée sur le canapé quand elle se levait pour chercher un verre d'eau, une voix grave échappée de la chambre de sa mère, à travers le mur.

Les petits amis se succédaient sans interruption mais sans chevauchement, d'après ce qu'Abby savait, et chacun différait du précédent. Il y eut un entrepreneur de la nouvelle extension sud de la ville, un comique venu présenter son spectacle qui jouait les prolongations. Un auxiliaire de santé propriétaire d'un perroquet capable de parler, un conseiller psychologique du centre pour jeunes toxicomanes où sa mère travaillait depuis peu. Lorsque Abby avait douze ans, il y eut un peintre argentin nommé Luis dont la famille juive avait quitté l'Allemagne avant la guerre. Il était bouddhiste, parlait anglais, allemand, espagnol et italien. Pratiquant la méditation assis à la table de la cuisine, tandis qu'Abby faisait ses devoirs, il portait très lentement un verre d'eau à ses lèvres, en buvait une gorgée avant de le reposer tout aussi lentement sur la table. Pour réussir la méditation, avait-il expliqué à Abby, il fallait être extrêmement attentif à chaque étape du processus, à la moindre contraction musculaire, au moindre mouvement de l'objet et de la main. Et de fait, Luis était totalement déconnecté de ce qui se passait dans la cuisine : la bouilloire pouvait siffler, le téléphone sonner, Abby demander à sa mère comment on écrit « après-demain », une casserole déborder et sa mère jurer, Luis continuait à lever et abaisser lentement son verre, absorbé tout entier par la tension du poignet, la compression puis la dilatation de sa gorge au passage de l'eau.

Jamie écrivait des lettres qu'Abby conservait. Jamais très longues – quelques lignes sur une carte –, ces lettres supposaient une connivence entre eux qui lui plaisait. Jamie était retourné en Louisiane, pour un an, avant d'aller dans le Colorado. Il avait suivi des cours à Boulder, abandonnant une fois de plus, et il ne travaillait jamais assez longtemps quelque part pour avoir des congés. « Je déblaie les pistes de ski le jour, et je joue un rock insoutenable, le soir», écrivit-il quand Abby avait treize ans. «Mais cela ne va pas durer, d'après ce qu'on me dit.» Il avait vingt-six ans: pas vraiment un adulte, dans l'esprit d'Abby, et plus un enfant.

Puis une lettre de Jamie annonça son arrivée et Abby examina sa chambre. Des années auparavant, elle avait choisi la peinture bleu pâle des murs dont sa mère disait qu'elle rappelait l'intérieur d'un freezer. Une fois les meubles remis en place, la pièce était devenue agréable, mais elle présentait tous les attributs d'une chambre de petite fille. Une licorne en verre sous un globe côtoyait des animaux en peluche sur le lit. Un poster dressait l'inventaire des caractéristiques du signe du Verseau. Une aquarelle peinte par Abby – une œuvre de jeunesse, selon elle – et des rayonnages de vieux livres pour enfants complétaient le tableau.

Elle décrocha le poster du Verseau et l'aquarelle, rangea les livres pour enfants et les peluches dans l'armoire. Elle marqua une hésitation devant la licorne, consciente que ce genre d'objet pouvait appartenir au monde des adultes, mais pas à la bonne catégorie d'adultes, ni à une adolescente. Et la licorne échoua dans l'armoire.

Dans un numéro de *Tiger Beat* acheté à l'épicerie elle découpa des posters pleine page de musiciens que les filles de l'école aimaient bien: Corey Hart, Duran Duran et Rick Springfield. Les posters, sombres et brillants sur fond noir, furent fixés avec du scotch sur le mur près de son lit, et sur la porte de l'armoire. Lorsqu'elle eut terminé, elle contempla la pièce satisfaite du résultat, c'était désormais une chambre d'adolescente. Avec le rasoir rose jetable, acheté lui aussi à l'épicerie, elle se rasa les jambes jusqu'au genou, ce que les filles de l'école (qui en avaient la permission) étaient autorisées à faire.

Luis, le bouddhiste argentin, vivait chez elles et sa mère lui avait demandé de partir quelque temps, ce qu'il avait fait après avoir bouclé son sac à dos. Abby savait que si Jamie assistait à la méditation du verre d'eau de Luis, il le prendrait pour un dingue. Même si Luis n'était pas fou, elle était contente qu'il soit parti. Sa mère remplit le frigidaire de provisions et de tranches napolitaines, cueillit un bouquet de fleurs du jardin qu'elle disposa sur la table. Elle fit deux longues tresses avec les cheveux d'Abby encore mouillés pour qu'ils ondulent en vagues brunes et serrées, une fois secs. Et Jamie arriva, toujours au volant de la vieille Ford Escort de Teddy, dont la peinture rouge décolorée du capot rappelait un test de Rorschach. Il embrassa Abby avec une telle fougue qu'elle décolla du sol.

– Tes cheveux sont tout frisés, dit-il.

Ce soir-là, ils mangèrent des hamburgers assis à la table de pique-nique du patio en parlant du travail de

Jamie sur les pistes de ski, du fait qu'il avait arrêté de fumer et du travail de Clarissa au centre pour jeunes toxicomanes où tous les gamins fumaient.

– Elle devient complètement paranoïaque avec les enfants, à force de travailler là, déclara Abby.

Clarissa dit:

– Ils présentent tous des symptômes de manque et ont tous des tatouages.

– *Moi* pas.

– Ça viendra, dit Jamie.

Ils parlèrent de la professeur en sciences sociales d'Abby qui avait essayé le méthodisme, le bahaïsme et le taoïsme – tout sauf le judaïsme qui ne l'aurait probablement pas acceptée, selon elle. Elle avait finalement opté pour le catholicisme, la religion la plus élaborée à même de l'accueillir.

– Une dingue, lança Jamie. C'est comme potasser l'histoire politique et devenir stalinien.

– Bof, dit Clarissa.

– Elle aurait pu devenir *Great Westerner*, dit Jamie.

– Oh, mon Dieu, s'écria Clarissa. Arrête.

À la nuit tombée, Jamie sortit sa guitare et chanta, un mélange de vraies chansons et de chansons de son cru. Springsteen s'était marié, cet été-là, et Jamie chanta: « *This gun's for hi-ire, but not anymore 'cause I'm mar-ried.* »

– Tu as l'air heureux, dit Clarissa quand il eut fini.

– Je le suis, répondit Jamie en jouant une petite progression de trois accords. Teddy trouve que mon boulot n'est pas assez valorisant, mais il a tort, en réalité. Et j'aime bien mon groupe de rock. Il y a eu des moments de déprime, quand j'ai perdu mon ancienne petite amie, quand je suis parti d'ici, aussi. Maintenant, ça va plutôt bien.

Il termina son petit discours sur une série de fioritures avant de plaquer la main sur les cordes pour les réduire au silence.

– Et toi?

Clarissa soupira.

– Je crois que je ne sais pas comment être heureuse, dit-elle.

Jamie dormit dans la salle de jeux, comme à l'époque où Abby avait huit ans, et il entra dans sa chambre, le lendemain matin, en chantant: «Deeeebout, c'est le matin, donne de l'eau à tes chevaux, et du ma-ïs, isse isse.» Puis il se jeta sur le couvre-lit, découvrant la chambre seulement à cet instant.

– Oh, mon Dieu! dit-il.

Il roula sur le côté pour ne pas l'écraser et examina les murs.

– Qu'est-ce que c'est *Tiger Beat*?

Abby faisait mine de dormir alors qu'elle était en train de piquer un fard, parfaitement réveillée.

– Corey Hart? demanda Jamie. Rick *Springfield*? Oh, Abby, j'ai négligé ta culture musicale. C'est de ma faute, tout ça.

Il referma les bras autour d'elle, emballée dans le couvre-lit comme dans un cocon bien serré. Le visage écarlate d'Abby restait tourné de l'autre côté.

– Je vais me racheter, dit-il. Je te promets.

Quand Jamie eut quitté la chambre, Abby se leva et arracha les posters, sans même les distinguer tant la honte lui obscurcissait la vue.

Jamie resta une semaine, il passait des cassettes dans la voiture qu'il donnait l'une après l'autre à Abby lorsqu'elles étaient finies. Il appelait cela « Radio Free Sebastopol ». Ils écumèrent les cinémas de la ville, Abby payait moitié prix dans ceux qui pratiquaient les tarifs réduits pour enfant accompagné d'un adulte, prétendant qu'elle n'avait que douze ans. Puis Jamie lui achetait un billet pour un film interdit aux moins de dix-sept ans et Abby se cachait derrière lui de peur que la caissière ne reconnaisse celle à qui elle avait vendu un billet tarif enfant la veille.

Un jour de canicule, ils roulèrent jusqu'à la plage, où des gamins de l'âge d'Abby assis ensemble sur des serviettes buvaient des sodas au son de la radio. En compagnie de sa mère, Abby aurait été gênée, mais pas en compagnie de Jamie. En partie parce que Jamie n'était pas vraiment un adulte. Elle portait un nouveau maillot de bain bleu à motifs blancs et sentit d'invisibles petits piquants en se passant la main sur les jambes. Elle se demanda à quelle fréquence on était censé les raser. Elle avait mis beaucoup de temps à le faire. Ils nagèrent dans l'eau glacée, Jamie lui apprit le bodysurf jusqu'à ce qu'ils aient trop froid et retournent s'étendre sur leurs serviettes pleines de sable, les yeux mi-clos face au soleil.

– C'était qui, la petite amie qui t'a quitté? demanda-t-elle.

– Laquelle? J'en ai perdu un paquet.

– Celle à cause de qui tu étais si déprimé.

Jamie se redressa sur un coude.

– Tu écoutes trop ce qu'on dit, fillette.

– Je ne suis pas une fillette.

– D'accord, j'oubliais. Tu es une ado, fan de *Tiger Beat*.

– Jamie!

– OK, dit-il. Elle s'appelait Gail. C'était une chouette fille, vraiment cool. On baisait sans arrêt, je peux te le dire puisque tu n'es plus une fillette, et ça, c'était du tonnerre pour un pauvre type de dix-sept ans qui passait son temps à gratter sa guitare tout seul dans sa chambre.

Prise de court par cette abondance d'informations, Abby se taisait.

– Mais le pauvre type de dix-sept ans était catholique, et complètement ravagé par la culpabilité. Gail en a eu marre, et elle est partie chez sa tante, à Seattle, pour être serveuse, et c'était fini. Je ne l'ai jamais revue. Ç'a été le début de la déprime.

— Tu as essayé de la retrouver?

— Je ne crois pas que ça lui aurait fait plaisir. J'espère qu'elle a fait les beaux-arts. C'était son plan. On avait déjà tout arrangé.

Sa voix faiblit, il frotta sa serviette pour en enlever le sable, apparemment perdu dans ses réflexions. Il finit par dire:

— Je ne pense pas qu'on puisse décider qu'une chose du passé nous aurait rendus heureux. On se serait peut-être lancé la vaisselle à la figure, si on s'était mariés.

Il sourit.

— Allons-y, dit-il. Tu vires au homard.

Ils dénichèrent un bar désert en plein après-midi, où régnait une pénombre rafraîchissante, Jamie lui offrit un Coca et s'attaqua aux boules sur la table de billard. Il corrigeait le tir d'Abby, ajustait la position de ses hanches par rapport à la table et lui montrait comment faire ricocher les boules contre les bandes. Ils jouèrent deux fois huit boules puis Jamie disposa quatre boules en ligne près d'un des trous, visa le centre de la ligne, expédiant chaque boule dans un trou différent. Abby essaya trois fois, réussissant seulement à mettre une boule dans un trou.

— Tu y passes cinq ans et tu y arrives, dit Jamie.

Il sélectionna « The Ballad of El Paso » dans le juke-box et dansa la polka avec elle dans le bar vide en parodiant une voix de baryton : «... *with wicked Abbina, the girl I adore.* »

Lorsque Jamie s'en alla, Clarissa pleura et Abby essaya de se retenir. Sa mère, qui s'occupait toujours d'ados en pyjamas, lui demanda si elle couchait avec des garçons, ce qui n'était pas le cas, et si elle avait entendu parler de la contraception, ce qui était le cas. Elle lui demanda aussi où étaient passés les animaux en peluche, pourquoi il n'y avait plus rien au mur, si elle se sentait déprimée. Un soir, Abby sortit en douce, par la fenêtre de sa chambre, pour le seul plaisir de marcher dans la rue sans que sa mère sache où elle était. Elle rentra en passant par la porte mais comme sa mère était au téléphone dans la cuisine, elle ne se rendit compte de rien.

Un jour, alors que Luis le bouddhiste était de retour, Abby entra dans la cuisine et demanda la permission d'aller à la patinoire.

Sa mère répondit :

— Il y a des jeunes qui vendent de la drogue, dans cette patinoire.

— C'est vrai ?

Abby n'en revenait pas. Elle fréquentait la patinoire

depuis la troisième. Les filles y fêtaient leur anniversaire, elles avaient des pompons bleus sur leurs patins.

— On veut juste faire du roller.

— Qui veut y aller?

— Tara.

— Qui vous emmène?

— Sa maman.

Clarissa réfléchit un moment, puis secoua la tête.

— Je ne veux pas que tu te retrouves dans ce milieu.

Tranquillement assis à table, Luis dit:

— Tu devrais la laisser y aller.

— Elles risquent de boire, là-bas.

— On ne boira pas, dit Abby. Ils ne vendent que du Pepsi et du Sprite. Et quand Jamie avait douze ans, tu le laissais boire de la bière.

— C'était les années soixante.

— Soixante-dix, dit Abby. Tu étais enceinte de moi.

— Tu sais très bien de quoi je parle. Le débat est clos.

Or, il ne l'était pas. Abby reçut le soutien de Luis. Sa mère capitula, exigeant d'aller les rechercher à neuf heures et demie. Dans l'obscurité traversée de flashs lumineux de la patinoire, Abby évoluait sur des patins de location au son de «Another One Bites the Dust». Elle se demandait qui vendait de la drogue et qui en achetait, parmi tous ces jeunes à l'allure ordinaire.

À neuf heures trente, Tara et elle rendirent leurs patins

et guettèrent l'arrivée de Clarissa, devant l'entrée. Elles bavardaient, se disant combien il était étrange de sentir leurs chaussures au contact du sol, si confortables, après avoir fait des tours perchées sur des patins hauts de huit centimètres. D'autres voitures vinrent chercher d'autres adolescents. Tara et Abby parlèrent du garçon de l'école qui plaisait à Tara. Il s'appelait Jason et était très mignon, malgré son appareil dentaire. À dix heures, la patinoire ferma, les derniers patineurs sortirent. Ils s'en allèrent à leur tour, la rue était déserte, et aucune Clarissa en vue.

— Elle est toujours en retard, dit Abby.

Le patron, un grand Vietnamien en patins à roues lumineuses, les rejoignit dehors. Quand Abby était beaucoup plus petite, il l'avait un jour aidée à se relever après une mauvaise chute et l'avait raccompagnée jusqu'au bord de la piste pour qu'elle se remette de ses émotions. Il leur demanda si tout allait bien.

— Oui, ça va, dit Abby.

Tara consulta sa montre, eut une moue d'excuse.

— Je dois appeler ma mère, dit-elle. Je suis déjà tellement en retard.

Le patron les laissa entrer pour téléphoner depuis la cabine. Dans la violente lumière des néons accrochés au plafond et sans musique, l'endroit était méconnaissable. Une femme lustrait le sol de la piste avec un produit d'entretien. Tara dut fouiller dans sa pochette pour en extraire les pièces de cinq cents nécessaires au coup de téléphone.

Dix minutes plus tard, la mère de Tara était devant la porte de la patinoire, dans sa Subaru, et bien qu'elle ne fît aucun commentaire, Abby perçut sa réprobation. Elles déposèrent Abby chez elle, la maison était plongée dans le noir et Abby poussa doucement la porte. Elle retira ses chaussures et son manteau, se faufila devant la porte ouverte de la chambre de sa mère. Une silhouette sombre se dressa brusquement dans le lit et une voix grave et menaçante, presque étrangère à celle de sa mère, demanda :

– Qui est là ?

Abby se figea.

– C'est moi, dit-elle.

– Oh, Clarissa respira et retomba en arrière sur les oreillers, dans la chambre sans lumière.

Apparemment, Luis n'était pas là.

– Oh, mon Dieu, dit Clarissa. Je dormais et j'ai cru qu'un cambrioleur était entré. Je pensais qu'il fallait que je te protège.

Abby ne bougeait pas.

– Pourquoi es-tu tellement en retard ? demanda Clarissa.

Abby ne répondit pas.

– Oh. Oh, non, dit Clarissa. Elle se rassit dans le lit. Oh, Abby, j'ai oublié. J'ai… je me suis disputée avec Luis, il est parti et j'ai complètement oublié.

— T'en fais pas, dit Abby, et elle alla se coucher dans sa chambre.

Tara affirmait qu'en Californie on pouvait choisir le parent avec lequel on voulait vivre dès l'âge de quatorze ans. Par-dessus la pizza qu'elle partageait avec son père, Abby souleva la question, en croisant les doigts pour se porter chance. Elle aurait quatorze ans dans quatre mois et aurait aimé habiter chez lui. Il vivait en ville et travaillait dans un cabinet d'avocats.

Il l'étudia.

— Que se passe-t-il avec ta mère ? demanda-t-il.

— Rien, dit-elle. Je me suis dit que le moment était venu. Et la loi est là.

Son père joignit les mains comme s'il parlait à un client.

— Cette loi, vois-tu, ne s'applique pas de façon systématique, dit-il. Si l'on doit statuer juridiquement sur la garde d'un enfant, et en l'absence de complications particulières, on peut éventuellement prendre en considération les desiderata d'un enfant de quatorze ans. Mais si le cas ne fait pas l'objet d'un jugement, si un accord a déjà été trouvé, le fait d'avoir quatorze ans ne vous autorise pas à tout changer sur un coup de tête.

— Tu pourrais demander la garde à un juge, dit-elle.

Son père soupira.

— Je ne traite pas les affaires de divorce des autres, dit-il. Je ne vais pas rouvrir le dossier du mien. Pense à ce qu'éprouverait ta mère.

Abby y avait déjà pensé, elle savait que ce serait pénible.

— Tu pourrais lui demander la garde, dit-elle.

— Cela revient au même, non ?

— Je ne peux plus vivre là-bas.

— Tu en as parlé avec elle ?

— Elle ne ferait que pleurer.

Son père se passa les mains sur le visage.

— Tu as ta vie, là-bas, ta chambre, dit-il. Tu peux aller au collège à pied. Je travaille tard. Ce ne serait pas une bonne vie, pour toi.

Abby fixa sa pizza en silence. Elle ne voulait pas se disputer avec son père, ce qu'elle aurait fait avec sa mère dans la même situation, elle le savait. Elle n'avait pas l'habitude des conflits avec lui : une des raisons qui rendaient la vie auprès de lui tellement attirante. Il la reconduisit chez sa mère sans un mot, et elle s'attarda une minute dans la voiture garée devant la porte, elle aurait voulu que tout soit différent. Puis elle l'embrassa et rentra dans la maison.

Quelques semaines plus tard, sa mère posait le journal sur la table de la cuisine, pendant le petit déjeuner. Abby lut que son père briguait un siège vacant au Congrès et préparait sa campagne. L'article mentionnait son travail dans le domaine de l'environnement, ces dix dernières années, et ses activités pro bono, en privé. On racontait aussi qu'il n'avait pas combattu sur le sol vietnamien mais avait effectué l'essentiel de son service militaire dans la marine.

— Il t'en avait parlé? demanda sa mère. Il t'a demandé quel effet cela te ferait, d'avoir un père à Washington?

— Oui, mentit Abby.

Sa mère la dévisagea.

— Vraiment?

— Évidemment, dit Abby.

— Et pourquoi ne m'as-tu rien dit?

— Je ne savais pas que ça t'intéressait.

— Nous avons un enfant, ensemble. Les décisions qu'il prend ne sont pas sans conséquence pour moi.

— Ça reste ses décisions, dit Abby en emportant son bol dans l'évier.

— J'ai horreur de ce ton, dit sa mère.

— Je vais être en retard en cours, dit Abby.

Tandis qu'elle marchait, son sac à dos jeté sur l'épaule suivant une habitude qui détruirait sa colonne vertébrale, d'après son père, elle observa le trottoir, pensant à chacun de ses pas sur le bitume, au frottement sous ses chaussures, à la succession des pas rendue possible par la projection en avant de ses jambes. Luis le bouddhiste

avait raison : se concentrer sur une action répétitive permettait de ne plus penser à rien d'autre. Elle s'efforçait
de ne pas poser le pied sur les fentes, par habitude. Un
jour, elle avait joué avec une amie à sauter sur tous les
joints du trottoir en hurlant : « Tu vas briser le dos de ta
mère ! » (Elle se réjouissait de ne pas s'être fait sur-
prendre, pour le bien de tous.) Depuis, elle évitait les
joints ; c'était devenu un de ses gestes automatiques pour
conjurer le mauvais sort, au même titre que croiser les
doigts. Jamie aurait dit que ce n'était pas rationnel, mais
elle avait essayé d'être rationnelle, elle en avait appelé à la
loi, en vain. Alors elle continuerait à croiser les doigts et
à enjamber les fentes.

19

Lorsqu'elle réfléchissait au destin de sa famille, le chagrin s'emparait d'Yvette et elle sortait prier dans le jardin. Elle s'y sentait proche de Dieu, entourée de Ses œuvres, elle pouvait Lui faire part de ses soucis tandis qu'elle rentrait les boutures avant la pluie. Pendant qu'elle s'activait, elle Lui parlait de Margot, toujours sans enfants, de l'absence de carrière professionnelle de Jamie, du roulement permanent des compagnons de Clarissa, et d'Abby, élevée dans un tel environnement. Elle ne parlait pas à voix haute ; prononcés dans son cœur, ses mots avaient plus de poids.

Un jour qu'elle se trouvait dans le jardin avec Dieu, Jamie arriva au volant de la vieille Ford de Teddy. Jamie ne venait pratiquement jamais. Depuis la nuit où il était parti en claquant la porte, à dix-huit ans, il était venu deux fois à Noël, et une fois en été – seulement parce que Clarissa était là. Jamais il n'avait débarqué à l'improviste.

Le voilà qui descendait de voiture, s'étirait avant d'expliquer qu'il retournait chez lui, après une visite à Clarissa, et qu'il s'arrêtait en chemin pour faire une pause pipi et boire quelque chose. Yvette rangea son sécateur et lui servit un jus d'orange.

— La maison est toute belle, dit Jamie sans un regard pour la maison.

— Nous avons une femme de ménage, dit-elle.

Mal à l'aise, comme toujours face à Jamie, elle était néanmoins heureuse de le voir. Elle ne lui en voulait pas de l'avoir malmenée dans le couloir et d'être parti – elle lui avait pardonné à l'instant même – malgré tout les choses étaient différentes entre eux, depuis, ils étaient plus réservés. Elle rangea le carton de jus d'orange dans le frigidaire.

— Maman, dit-il, pourquoi est-ce qu'il est écrit que je suis né en France sur mon acte de naissance ?

Yvette garda la main posée sur le carton, comme si elle cherchait quelque chose sur les étagères du frigo, puis ferma la porte. Elle essuya sa main humide de condensation sur son autre main. Elle avait préparé une réponse à cette question, quand Jamie avait interrogé Teddy pour la première fois – mais cela remontait à des années et Jamie n'en avait plus jamais parlé.

— Margot avait le cafard, s'entendit-elle dire.

— En France ?

— Oui, en France. Je suis allée la voir. Les médecins s'étaient trompés dans le calcul de la date, ou c'est peut-être à cause de l'avion. Toujours est-il que j'ai commencé à avoir des contractions devant la tapisserie de Bayeux.

Elle se demanda d'où elle tirait ce détail. Jamais il ne lui était venu à l'esprit auparavant, jamais elle n'avait menti avec autant d'entrain ; elle avait toujours laissé aux autres le soin d'établir des suppositions.

— C'est sympa, dit Jamie. Pourquoi tu ne me l'as jamais dit ?

— Je considérais que je t'avais fait courir un risque, en prenant l'avion, dit-elle. Je ne voulais pas te donner l'impression d'avoir été négligente envers toi. Je me sentais coupable.

— Maman, tu es tellement catholique.

Elle lui sourit, soulagée qu'il l'ait crue. Le mensonge était admis, nécessaire — il permettait à Jamie de se sentir aimé, de savoir que sa famille formait un tout, qu'il avait toujours été désiré.

— Je ne pensais pas être tellement catholique à l'époque, dit-elle.

— J'ai la nationalité française, alors ?

— Nous avons fait en sorte que tu sois américain. Cela semblait important.

Jamie haussa les épaules.

— Je n'aurais jamais réussi à parler français, de toute

manière, dit-il. Mais j'aurais peut-être plus étudié, si j'avais su.

— Je suis désolée, dit-elle, consciente que sa voix sonnait juste tant elle était effectivement désolée pour tout, y compris ces nouveaux mensonges.

Mais il était trop tard pour s'amender.

— Nous avons pensé qu'il valait mieux ne pas t'en parler, dit-elle. Les parents prennent tellement de décisions, et elles ne sont pas toutes bonnes.

— C'est très bien, dit-il.

Il rinça son verre dans l'évier et la serra dans ses bras.

— Merci de m'avoir dit la vérité.

Elle lui mit la main sur la joue, comme s'il était toujours un petit garçon.

— Je dois y aller, dit-il.

Elle le raccompagna jusqu'à la vieille Ford de Teddy. Elle savait que Teddy serait déçu, qu'il aurait aimé qu'elle avoue tout à Jamie. Ils avaient traversé une période difficile, après que Teddy eut appris la vérité, mais l'ambiance avait été bien meilleure entre eux, ensuite. Teddy aurait prétendu qu'il en irait de même avec Jamie. Pourtant, elle ne pouvait pas le dire à Jamie; il risquait de se fâcher avec elle pour de bon. La voiture eut un hoquet, puis démarra, et Jamie baissa la vitre.

— *À bientôt**! cria-t-il, tout sourire, et il s'éloigna dans la rue.

Après son départ, Yvette retourna dans son jardin, et demeura un moment debout, paralysée par le chagrin. Un mensonge ne porte pas à conséquence si personne n'en souffre, or elle n'était pas sûre que personne n'en eût souffert. Pourtant elle avait la certitude que si elle se retrouvait en 1958, et que Margot venait la trouver, elle agirait exactement de la même manière. Elle reprit son sécateur et se remit au travail en demandant à Dieu de l'aider à supporter le poids des conséquences. Elle tailla le rosier grimpant, sur le mur à l'est, observa le mouvement des lames qui coupaient les fleurs fanées, juste au-dessus de chaque nouveau groupe de cinq feuilles, épargnant les boutons qui deviendraient des fleurs avant de mourir à leur tour. Elle parlait à son Seigneur, Lui disait tout, et Il écoutait, comme Il l'avait toujours fait, et lui conservait Son amour.

20

Abby atteignit l'âge adulte sans direction, sans but. Après le refus opposé par son père à sa demande d'habiter chez lui, et au fil de ses apparitions répétées dans les journaux et à la télévision pour son élection au Congrès, sa vie à elle avait semblé moins réelle. Jamie menaçait, en riant, de révéler publiquement qu'il avait fumé des joints avec Henry, quand il avait douze ans, mais il plaisantait. Elle accompagnait son père à des meetings électoraux et des soirées destinées à récolter des fonds, et attendait tranquillement assise tandis qu'il parlait à tout le monde sauf elle. Son élection remportée, il s'installa à Washington et Abby demeura chez Clarissa. Luis le bouddhiste était revenu pour quelque temps avant de repartir, remplacé successivement par un ébéniste, un professeur de collège et un psychanalyste. Abby s'efforçait de ne pas y faire trop attention.

Elle sortait avec des garçons mais restait vierge ne serait-ce que parce que sa mère lui répétait qu'elle aurait eu bien raison de ne plus l'être. Le premier garçon à l'avoir embrassée était catholique, il se serait senti coupable d'aller au-delà d'un baiser, alors que le second, plus âgé et enclin à la pratique, lui apprit des tas de choses. Puis il déménagea et son successeur trouva qu'elle en savait un peu trop pour une fille, vierge de surcroît, ce qui le rendit maussade et soupçonneux, et ils se séparèrent.

On lui recommandait de s'inscrire à l'université de Georgetown pour être près de son père, elle savait cependant qu'il serait peu disponible, que cela ne valait pas la peine de se rendre malheureuse. Elle ne voyait pas non plus pourquoi elle irait à Bates ou Bowdoin, comme le lui conseillaient ses professeurs. Des lieux si éloignés, dont elle n'avait jamais entendu le nom avant que ses professeurs le prononcent. Elle s'inscrivit à la UCSD, où ses parents s'étaient connus, parce que c'était l'endroit qui lui semblait le plus vraisemblable, et elle partit. Elle trouva un job dans un bar près du campus où les soirées étaient calmes, la plupart du temps. Ce qu'elle en décrivait à ses parents n'éveillait aucun souvenir chez eux. Sa mère lui raconta qu'il y avait sans arrêt des fêtes sur le campus et que les bars leur paraissaient minables. Son père lui proposa de lui trouver un emploi au secrétariat du recteur, mais le bar lui plaisait. Elle passait plus de temps à jouer au billard qu'à suivre des cours et le tir spécial de Jamie, avec les quatre boules alignées, n'avait plus de secret pour elle. Elle s'était inscrite à des cours généraux pour élargir le champ de ses connaissances – «Le siècle symphonique» et «Grandeur et décadence de l'avant-garde russe» – mais considérait le tir de quatre boules au billard comme son principal accomplissement.

Elle assista au bombardement de Bagdad à la télévision. Son père lui téléphona, rempli de tristesse à cause de la guerre, et elle s'entendit devenir de plus en plus triste à mesure qu'elle parlait. Sa mère lui envoya une photo de presse montrant une femme en treillis militaire abandonnant sa petite fille de trois ans pour se rendre en Arabie Saoudite. Abby supposa que sa mère s'identifiait à la femme, sans toutefois comprendre pourquoi. Elle punaisa la photo sur le tableau d'affichage du bar.

Le pape condamna le bombardement américain, déclarant que la guerre était une aventure sans retour, et les grands-parents d'Abby en firent autant, eux qui pouvaient passer des heures à parler des opérations dans le Pacifique et en Corée. Ses amis défilaient à travers le campus en criant: « Un, deux, trois, quatre! Pas de guerre pour du pétrole!» Puis ils envahissaient le bar, le visage rouge d'excitation, commandaient des bières et posaient la monnaie sur la table de billard, puis cessaient d'y penser. Le conflit semblait aussi éloigné d'Abby que le reste de son existence. Seules les lettres de Jamie étaient réelles. Il avait repris des études, là-haut, dans le nord de la Californie, et travaillait le soir. «Quel bol j'ai eu, écrivit-il. Trop jeune pour le Vietnam et trop vieux et trop décrépit (ça s'écrit comme ça?) pour ce coup-là. Comment j'ai fait, pour devenir si vieux, Abby? T'étais pas censée arrêter ça?»

Puis la guerre prit fin, disparut des médias.

Abby venait d'avoir vingt ans, elle terminait sa seconde année, lorsque Teddy et Yvette annoncèrent leur intention de célébrer leurs cinquante ans de mariage en renouvelant leurs vœux dans l'église de la Mission où ils s'étaient mariés, à Santa Barbara. Abby avait dit à sa mère qu'elle n'irait pas lorsque Jamie lui envoya une carte postale de Marcel Duchamp tenant un écriteau où figurait: I'M NOT A ROLE MODEL. Au dos, Jamie avait écrit: «J'y vais si tu y vas.»

— Santa Barbara! dit-il au téléphone lorsqu'elle l'appela. Ils n'auraient pas pu se marier dans un endroit un peu moins chic? Comme Tijuana?

— On n'a qu'à boycotter, en signe de protestation.

— Je dormirai dans la chambre de ta mère et je serai ton baby-sitter, dit-il. Comme au bon vieux temps.

Abby refusait catégoriquement de voyager avec sa mère depuis leur épopée automobile vers la Louisiane, elle avait sept ans à l'époque et il avait fallu dormir dans la voiture pour échapper à des hommes étranges dans des campings. Mais la récompense de ce voyage était la venue de Jamie qu'elle adorait. Elle avait très envie de le voir.

Teddy et Yvette logeaient dans un bungalow au Biltmore, à Montecito, où ils avaient vécu en 1942, les autres en ville, au motel Sea Air. Le motel était bleu et blanc et on ne peut plus loin de la mer. Abby était censée partager un lit avec Clarissa pour laisser l'autre à Jamie. Intimidée par la famille de sa mère, elle commençait à regretter d'être venue. Ne sachant pas quoi mettre, elle avait emprunté une robe bain de soleil à sa mère.

Clarissa les emmena à l'église dans sa voiture et Jamie était assis en travers de la banquette arrière, regardait les palmiers et les alignements de bancs. Il chantait pensivement : « *Two banks for ev'ry millionaire* », sur l'air d'une chanson des Beach Boys.

— Je pensais que tu serais venu avec une petite amie, dit Clarissa en lui lançant un coup d'œil dans le rétroviseur.

— Ça a mal tourné avec la dernière, dit-il. Jamais en pincer pour une fille dont les parents ont divorcé quand elle avait sept ans.

— Ah, ça, dit Abby.

— Oh, dit Clarissa. Est-ce que je t'ai fait tellement de mal ?

— Maman.

— Et ouais, dit Jamie. C'est trop tard, maintenant.

La façade de la Mission disparaissait sous les rosiers en fleur et Yvette accueillait les arrivants sur le seuil. Elle avait l'air d'une reine dans son tailleur couleur crème fait sur mesure. Abby se sentit mal habillée. Yvette écarta une mèche de cheveux du visage d'Abby et la rabattit derrière son oreille.

— Je suis si heureuse que tu sois venue, mon ange, dit-elle. Tu es ravissante.

— Toi aussi, dit Abby.

Et c'était vrai.

— C'est ce que les gens me disent, mon cœur, dit sa grand-mère. Et tu sais ce que je leur réponds? C'est parce que je suis heureuse avec l'homme que j'ai épousé. Voilà pourquoi.

Elles regardèrent ensemble Teddy qui conversait avec Margot, dans un costume noir.

— C'est vrai, dit Yvette. Je le savais en me mariant. J'ai traversé une période de doutes, par la suite — à bien des égards.

Son visage, devenu grave et soucieux, s'éclaira brusquement d'un sourire lumineux, plein de gratitude.

— Aujourd'hui, je sais à quel point j'ai eu raison, dit-elle. C'est pourquoi j'ai voulu faire cela, aujourd'hui. Je suis si heureuse que vous soyez tous là.

Jamie avait apporté sa guitare et il joua «All You Need Is Love», tandis que les amis de longue date de Teddy et Yvette affluaient. Il y avait les Winston : tout le monde continuait à les appeler «les Winston de cinq maisons plus bas» alors qu'ils avaient déménagé pour s'installer à Carmel. Rand, l'ancien ami pilote de Teddy, était là également, ainsi que Planchet, le cousin français d'Yvette chez qui Margot avait séjourné, en Normandie. Son fils l'avait aidé à s'acheter un vieux camping-car Airstream pour visiter l'Amérique, maintenant que sa femme était morte et qu'il se retrouvait seul, et il venait d'arriver en Californie. Margot semblait outrée par son exubérance; elle l'évitait, refusant même de croiser son regard.

Lorsqu'ils furent tous installés dans l'église, un prêtre barbu célébra la messe de mariage. Yvette tenait le calice d'argent de la communion, Abby observait le défilé de l'assistance dans la nef. Les murs étaient décorés de fresques corail. Sa mère ne communia pas, contrairement à Jamie. La belle Yvette sourit à Jamie devant l'autel et l'embrassa sur la joue puis essuya le calice avec un linge plié.

La réception se tenait au Beach Club, près de la piscine qui surplombait l'océan, avec les dix caisses de champagne offertes par Margot et Owen. Clarissa avait apporté un grand saladier vert à bord épais, fabriqué par un potier de

Sebastopol. Il n'était pas parfaitement rond, ce qui ne se voyait pas, à moins de l'examiner attentivement.

— Oh, mon Dieu, avait dit Clarissa en entendant parler du champagne de Margot. Et ce saladier n'est même pas dans le style de leur maison. Tu crois qu'ils m'en voudront si je n'ai pas de cadeau?

— Tu leur donnes et on en parle plus, dit Abby.

Sa mère déposa le paquet parmi les autres cadeaux, l'air contrarié. Elle prit le verre que lui apporta un serveur.

— Ils sont heureux, n'est-ce pas? demanda Clarissa toujours en train de regarder la table des cadeaux. Parfois, je me dis que si j'étais restée avec ton père, ça aurait peut-être marché.

— Tu n'aurais pas pu rester avec mon père, dit Abby.

— Je sais, dit Clarissa. Simplement, ça aurait peut-être été plus facile.

— Ça n'aurait pas été plus facile.

— Je sais.

Clarissa sirota son champagne et considéra la piscine.

Le soleil virait au rose, à la surface de l'océan, et Abby vit sa mère danser sur la terrasse de la piscine avec un homme à la peau burinée, les cheveux grisonnants décolorés par le soleil.

— C'est mon fils Jimmy, dit un vieil homme près d'Abby. Il avait écrit une chanson pour ta mère. Il construit des bateaux.

Abby se rappela le disque, à présent disparu, et sa mère décrivant le garçon qui l'avait touchée par-dessus son maillot de bain, ce que la façon de respirer du prêtre derrière l'écran l'avait empêchée de confesser. Jimmy Vaughan était bon danseur et sa mère riait dans ses bras.

— Ta mère aurait dû l'épouser, dit M. Vaughan. Sans vouloir t'offenser, Abby.

Jamie surgit et attira Abby pour danser le jitterbug, comme il le lui avait appris quand elle avait huit ans. Puis Jamie dansa avec Yvette, et Teddy avec Margot. Margot traîna Owen sur la piste, Abby dansa avec son grand-père. Hormis lorsqu'il perdit à une ou deux reprises son équilibre, il garda pratiquement toujours le rythme. Et Clarissa dansa avec Teddy et Abby se retrouva avec le compositeur de chanson palpeur de maillot de bain Jimmy Vaughan dont le bronzage était sillonné de rides plus claires autour des yeux.

— Vous permettez que j'épouse votre mère? lança Jimmy.

Il avait bu le champagne de Margot et ils étaient dangereusement proches du bord de la piscine.

— Vous lui avez posé la question? interrogea Abby.

— Il y a trente ans.

— Je ne crois pas qu'elle soit faite pour le mariage, dit Abby. Mais vous pouvez toujours le lui redemander.

Jimmy l'abandonna pour danser avec Clarissa et Abby dansa à nouveau avec son grand-père. Elle entendit le vieux M. Planchet interpeller Margot : «*Mais où est ton enfant*?*» Margot fronça les sourcils et secoua la tête en le regardant. Abby le trouva maladroit et cruel de parler d'enfant à Margot.

Le gâteau de mariage était spectaculaire, couvert de fleurs, et la femme de la pâtisserie s'attarda un moment à observer la fête, en jean et tee-shirt blanc. Personne ne nageait, seule Clarissa retira ses chaussures et trempa ses pieds dans l'eau.

Il était tard quand les derniers invités rentrèrent chez eux et la famille se réunit dans le bungalow d'Yvette et Teddy. Teddy racontait une histoire de caisse de whisky et de revolver, au milieu des éclats de rires et des exclamations.

– Chéri, ce n'est pas vrai ! s'écria Yvette, en larmes à force de rire. Je ne sais pas où tu es allé chercher ce truc au sujet de mon père !

– Je n'ai pas envie de me retrouver là-dedans, dit Jamie de l'autre côté de la porte grillagée. J'ai besoin de faire une pause.

Abby fut soulagée. L'effet du champagne se dissipait, elle sentait poindre la migraine. Elle descendit avec Jamie vers la plage plongée dans l'obscurité, en enfonçant ses orteils dans le sable.

– Je suis censé te demander ce que tu vas étudier, j'imagine, dit Jamie.

– Je n'ai pas encore décidé.

– Comme moi, dit Jamie. Et j'ai bientôt trente-quatre ans.

– Tu as ton groupe de rock.

– On est surtout doués pour boire de la bière et réfléchir à de nouveaux noms pour le groupe.

– Tu continues à balancer la tête?

Il la regarda.

– Comment tu sais?

– Tu dormais dans la salle de jeux, près de ma chambre, dit-elle. Tu m'avais expliqué que tu ne te marierais jamais à cause de ça.

– Parce que j'avais dormi dans la salle de jeux?

– Parce que tu balançais la tête.

– C'est vrai, dit-il. Je ne me marierai jamais.

Assis sur le sable, ils voyaient les vagues dérouler un tapis clair sur fond sombre au ras du sable, avant de refluer. Et Jamie l'embrassa, à moins que ce ne soit elle qui l'ait embrassé: qui avait commencé échappa immédiatement au souvenir d'Abby. Elle avait levé les yeux vers lui, il était en train de la regarder, il faisait noir, ils s'étaient embrassés. Un baiser chaud et sucré mêlé à l'odeur de l'océan, au contact du sable entre ses orteils, elle ne s'était pas sentie aussi bien de toute la journée.

Ils s'arrêtèrent et elle distingua son visage proche du sien, dans l'obscurité.

— Ça fait décadent, dit-il.

Elle ne savait pas quoi dire et se taisait, sachant seulement qu'elle avait encore envie qu'il l'embrasse, ce qu'il fit. Elle s'étendit sur le sable, Jamie s'allongea à côté d'elle. Il lui fit glisser derrière l'oreille la mèche de cheveux qu'Yvette avait déjà remise en place plus tôt. Puis il leva la tête vers les lumières de l'hôtel.

— Ça la ficherait mal s'ils nous trouvaient ici, dit-il.

— Ils ne sont pas près de sortir.

Il passa délicatement la main sur ses seins, à travers l'étoffe.

— Qu'est-ce qui nous arrive ? demanda-t-il.

— On s'embrasse, c'est tout, dit-elle.

Elle ne voulait pas trop penser parce qu'elle ne voulait pas que cela s'arrête, il fallait éviter tout ce qui risquait d'interrompre ce moment.

— Il n'y a pas de problème, dit-elle.

Il l'embrassa à nouveau et les lumières au-dessus de la plage disparurent lorsqu'elle ferma les yeux. Il n'y eut plus que l'air frais et les mains de Jamie toujours prudentes sur sa poitrine, sa cage thoracique, ses hanches, puis sous sa robe bain de soleil, là où elle ne portait pas de slip à cause de la ligne visible à travers le tissu.

— Oh, doux Jésus ! dit Jamie.

— Ça fait une vilaine marque, sinon, dit-elle. Tout va bien.

Jamie posa sa tête sur sa poitrine, elle sentait battre son propre cœur.

— Aujourd'hui j'ai communié, dit-il. Et ma nièce me fait bander.

Il avait toujours la main posée sur sa cuisse et elle gardait la conviction que tout allait bien, mais elle ne le répéta pas. Soudain, Jamie se leva.

— Je crois que je vais aller nager, dit-il. Ça me calmera.

Il marcha résolument vers la mer.

Appuyée sur les coudes, Abby le regarda s'éloigner. Il se déshabilla rapidement à la limite de l'écume, enlevant le pantalon de toile et la chemise bien repassée dans laquelle il avait joué «All You Need Is Love» à la demande de sa grand-mère. Sa peau était pâle et tendre, il avait l'air d'un petit garçon. Il entra dans l'eau, Abby observa les battements rapides et maladroits de ses bras à travers l'obscurité, tandis qu'il nageait le crawl. Finalement, elle se leva, passa sa robe par-dessus sa tête. L'eau devenait rapidement profonde, elle plongea sous la vague froide et le rejoignit là où il faisait du surplace en eau calme.

— Tu me rappelles une fille que j'ai connue, dit Jamie, le souffle court. Ta façon d'enlever tes vêtements. Et c'était aussi une bonne nageuse.

— Je ne veux pas être une autre fille, dit Abby, sentant l'eau froide contre ses jambes.

Une vague les souleva, ils retombèrent éloignés l'un de l'autre. Ils se rapprochèrent, se maintenant à la surface de l'eau, elle sentit sa jambe frôler la sienne, la main de Jamie glisser sur ses seins, et il l'embrassa à nouveau. Ils reprirent haleine en même temps.

— Il faut qu'on arrête, dit Jamie.

Abby hocha la tête mais ce qui venait de se passer avait déjà tout changé entre eux. Ce serait injuste de ne pas continuer : au point où ils en étaient.

— Il faut arrêter, répéta-t-il comme pour se convaincre.

Ils traversèrent les vagues à la nage, en direction du rivage, secouèrent le sable de leurs vêtements et se rhabillèrent sans échanger un regard. Le sable était frais sous leurs pieds, leurs chaussures les attendaient à la porte du bungalow d'Yvette et Teddy plongé dans le noir. La voiture de Clarissa était sur le parking, Abby tâta l'intérieur du pare-chocs arrière et trouva les clés de sa mère.

— Quelqu'un a dû la ramener, dit-elle en ouvrant la portière.

Mais lorsqu'ils pénétrèrent dans la chambre du motel, Clarissa n'y était pas.

— Où est ta mère, chuchota Jamie dans le noir.

Abby perçut de la crainte dans sa voix.

– Dans les bras de Jimmy Vaughan, j'imagine. Je crois qu'il lui a redemandé sa main.

Elle prit une douche, pour rincer le sel, en pensant à sa mère. Le fait que Clarissa ne soit pas rentrée la contrariait. En même temps, elle était contente que la chambre soit vide. Et si elle se réjouissait de se retrouver seule avec Jamie, elle ne valait guère mieux que sa mère passant la nuit avec Jimmy Vaughan – elle faisait même pire, étant donné qu'il s'agissait de Jamie. Le champagne continuait à lui brouiller les idées.

En sortant de la douche, elle prit deux aspirines dans la trousse de toilette de Jamie, sur le bord du lavabo. Elle y trouva trois préservatifs dans des emballages bleus individuels attachés ensemble. Elle avala l'aspirine avec une gorgée de l'eau laiteuse et mousseuse sortie du robinet de la salle de bains et s'examina dans le miroir. L'idée que Jamie avait acheté ces préservatifs pour une autre fille la rendit jalouse. Elle n'aurait pas voulu qu'il les ait achetés pour elle, mais elle ne voulait pas non plus qu'il ait des vues sur une autre fille. Elle rangea le flacon d'aspirine, enfouit les préservatifs au fond de la trousse en se disant qu'elle était ridicule. Les doigts croisés dans l'espoir que la suite, quelle qu'elle soit, ne la rende pas triste, elle passa dans la chambre.

La lumière était éteinte, Jamie était couché dans le lit près de la fenêtre, dans son lit. Debout, elle attendit que ses yeux s'habituent à l'obscurité, et lui aussi avait l'air d'attendre. Puis il souleva la couverture et elle se glissa près de lui. La chose la plus facile au monde, la plus juste, même si elle sentait son cœur battre la chamade tandis qu'il l'attirait vers lui.

Le lendemain matin, ils furent réveillés par un coup frappé à la porte, et Jamie enroula une serviette autour de sa taille. Il repoussa la couverture du second lit intact, donna quelques coups dans les oreillers avant d'ouvrir la porte. Abby entendit la voix de Teddy.

– Petit déjeuner à l'hôtel, dit son grand-père.

– On arrive, dit Jamie.

– Nous revenons de la messe.

Abby feignait de dormir mais elle sentit le regard de Teddy passer du lit qui avait manifestement servi à l'autre, faussement défait, par-dessus l'épaule de Jamie.

– Où est Clarissa?

– Quelque part dehors, dit Jamie.

Teddy prononça le nom de Jimmy Vaughan sur un ton irrité et quitta la chambre.

La porte se referma dans un cliquetis de serrure, Jamie regagna le lit et s'étendit sur la couverture, au-dessus d'Abby, en l'enveloppant dans ses bras.

– Eh bien, dit-il. C'est fait.

Pendant qu'il se douchait, elle s'habilla à contrecœur; elle aurait voulu rester dans la chambre telle qu'elle était avant que son grand-père ne frappe à la porte, et que rien ne change. Elle enfila ses bas et ses chaussures au prix d'un immense effort.

Clarissa n'était pas à la table du petit déjeuner lorsqu'ils arrivèrent, mais elle apparut plus tard au Biltmore et approcha une chaise de la table déjà pleine, l'air à la fois guilleret et confus.

– Vous n'étiez pas inquiets ? chuchota-t-elle.

– Pas une seconde, dit Abby.

Elle dévisagea sa mère.

– Jimmy Vaughan ?

– Oh, mon Dieu, dit Clarissa. Tu penses bien que non.

Abby se demanda qui d'autre était là – le vieux M. Planchet ? – mais ne posa pas la question.

De l'autre côté de la table, Teddy parlait du DDT pendant la guerre dans les îles Mariannes, expliquant qu'ils ignoraient alors les effets toxiques du produit et redoutaient tellement d'attraper la malaria qu'ils se douchaient avec. Apparemment, il avait décidé que tout allait pour le mieux dans le meilleur des mondes – Clarissa était de retour, Abby et Jamie étaient assis séparément, ponctuels et pimpants. Yvette décrivait la merveille de saladier vert qu'elle avait reçu de Clarissa et l'endroit où elle le mettrait dans la maison. Margot regretta d'avoir commandé des gaufres belges en voyant l'assiette de fruits d'Abby. Celle-ci échangea avec sa tante des tranches de melon contre une demi-gaufre. Abby aida Owen à faire des mots croisés. Une grille facile, elle connaissait les réponses. Elle se dit que, curieusement, tout se passerait peut-être bien. Jamie se pencha en travers de la table pour lui servir du café et lui sourit. Un sourire un peu timide.

En fin de compte, Yvette déclara :

— Qu'est-ce que j'aime cette famille. Vraiment, je l'aime.

21

Jamie quitta Santa Barbara plus résolu que jamais à changer de vie. Il terminerait enfin ses études. Il quitterait son groupe de rock, trouverait un emploi stable, souscrirait un plan d'épargne-retraite. Il rencontrerait une gentille fille, responsable, qu'il épouserait pour former un couple comme Teddy et Yvette, Margot et Owen. C'en était fini de boire des bières en rebaptisant le groupe. Et de coucher avec des femmes qui n'étaient pas les bonnes : sa nièce, par exemple. Le temps était venu de se prendre en main.

Mais sa détermination faiblit. Il n'était pas sûr de pouvoir jamais changer. Être rebelle et dépravé faisait peut-être partie de sa nature, pensait-il en ressassant l'épisode de Santa Barbara, la mort dans l'âme.

Il s'était senti — s'expliquait-il à lui-même — exclu de sa famille et s'était tourné vers Abby qui le connaissait et le comprenait. Puis il avait été, un bref instant, le centre de l'univers, jusqu'à ce que son père frappe à la porte du motel, moment où il avait pris conscience de son erreur. Assis à la table du petit déjeuner, ce jour-là – pendant qu'Abby faisait des mots croisés et échangeait des gaufres avec tant d'insouciance –, il s'était trouvé mal, physiquement : entouré des bavardages chaleureux de sa famille, sachant qu'ils le chasseraient s'ils venaient à apprendre sa trahison. Ses efforts pour sourire lui donnaient envie de vomir.

De retour chez lui, il prit une cuite avec son groupe, leur annonça son départ et rangea sa guitare dans un placard. Comme il ne jouait plus, les balancements de tête empiraient, il restait couché, incapable de dormir, en secouant la tête vers le plafond obsédé par un rythme qui ne le quittait pas. Il supposa que cela faisait partie de la pénitence. Alors qu'il ne fumait plus depuis dix ans, il acheta un paquet de cigarettes qu'il laissa en évidence, afin de se prouver qu'il était assez fort pour résister à la tentation. En septembre, il s'inscrivit aux six cours qui lui manquaient pour obtenir son diplôme, il étudiait tellement tard le soir, penché sur des séries d'exercices, qu'il s'endormait sur la table de la cuisine. Le balancement de tête cessa d'être un problème. Il ne fuma aucune des cigarettes et finit par jeter le paquet.

Abby lui téléphona début novembre. Ils ne s'étaient pas parlé depuis les adieux dans le soleil de juillet, sur un

224

parking couvert de voitures à la carrosserie étincelante, au milieu de la famille.

– C'est moi, dit-elle au téléphone.

– Salut.

Il avait peur d'ajouter quoi que ce soit.

– Je me demandais ce que tu faisais à Thanksgiving.

– J'étudie, dit-il.

Ce qui était vrai.

– Il y a un truc en famille ?

– Oh…, dit-elle. Je n'en sais rien. Peut-être. Je serais bien venue dîner avec toi.

Il attendit, se disant que cette proposition ne cadrait pas avec ses bonnes résolutions.

– Jamie ? dit-elle.

– Je n'ai pas l'intention de cuisiner.

– Tu ne dois pas cuisiner. J'ai quelques jours de congé, à l'université. Je peux faire un saut en voiture.

– OK, dit-il sans savoir précisément ce à quoi il disait oui. Et Clarissa, qu'est-ce qu'elle fait ?

– Elle va voir la décoratrice en pâtisserie de Santa Barbara, celle qui avait fait le gâteau de mariage. Elle s'appelle Véra.

– Pardon ?

– C'est là qu'elle était, cette nuit-là. Elle dit qu'elle en a assez des relations qui se cassent la figure, avec les hommes. J'aurais peut-être dû attendre qu'elle t'en parle elle-même.

– Dieu du ciel.

– J'arriverai le jeudi, dit Abby. Surtout, ne prépare rien.

Jamie se replongea dans ses problèmes de maths, s'efforçant de ne penser ni à sa sœur, ni à sa nièce, ni aux vacances proches. Il s'imagina achetant une dinde, appelant Yvette pour demander des conseils sur la façon de la farcir. Il avait un jour fait une tarte au potiron, sous la direction d'une petite amie. Mais lorsque arriva le jeudi de Thanksgiving, il n'avait rien préparé. Quand Abby descendit de sa voiture, en fin d'après-midi, la table de la cuisine était jonchée de livres et de cours, comme à l'accoutumée. Elle portait une salopette en jean et une casquette de base-ball, et semblait très jeune.

– Je t'ai écoutée, dit-il en l'accompagnant jusqu'à la cuisine en désordre. Je n'ai rien fait.

– Parfait, dit-elle. Allons chez un Chinois.

Yvette aurait fait trois tartes la veille, deux au potiron, une aux pommes. Elle se serait levée aux aurores pour éplucher des pommes de terre et rissoler des patates douces. Elle aurait invité son prêtre préféré, ainsi que Margot et Owen, et Clarissa, qui ne serait pas venue à cause de la décoratrice en pâtisserie. Teddy aurait dit le bénédicité : «Seigneur, certains membres de notre famille ne peuvent être parmi nous en ce jour. Mais ils sont présents dans nos cœurs et dans nos prières.»

Le restaurant La Plume d'or était ouvert, quelques tables étaient occupées par des familles chinoises. Jamie et Abby étudièrent la carte plastifiée au comptoir.

— Le poulet Mu-shu, ça ressemble à de la dinde.

— Le riz sauté, c'est comme la farce.

— La sauce aux prunes pour les airelles?

— Je crois. Et les pois mange-tout à la place des haricots verts.

Ils mangèrent dans un box, à l'arrière, en s'interrogeant mutuellement sur leurs études, questions auxquelles ils répondaient évasivement. Le patron vint remplir leurs verres d'eau et lorsqu'il eut disparu dans la cuisine Abby inspira profondément et annonça qu'elle attendait un enfant.

Jamie la regarda, se mit à cligner des yeux.

— Pourquoi? demanda-t-il, conscient que ce n'était pas la bonne question à poser.

— Pour les raisons habituelles, dit-elle.

— Depuis quand?

— Santa Barbara, dit-elle.

Elle paraissait étrangement calme.

Il attendit que la nouvelle pénètre en lui, pourtant il semblait impossible de jamais assimiler un tel fait. Il s'était mis à transpirer. Il avait l'impression d'être une caricature.

— Il est encore temps ? demanda-t-il.

— Je le garde.

— Il risque d'y avoir des complications.

Il essaya d'organiser clairement les objections dans sa tête.

— Des problèmes génétiques.

— J'ai fait tous les tests, dit-elle. Je l'ai vu sur l'échographie. Dix doigts, une tête. J'aurais préféré ne pas voir les images. Les choses auraient été plus faciles.

Soudain, elle sourit.

— Tu aurais dû voir l'échographie. Il danse.

Jamie la regarda fixement. C'était un garçon.

— Danse ? demanda-t-il, trop hébété pour faire autre chose que répéter ce mot.

— Il bouge dans tous les sens, dit-elle, et son sourire s'élargit puis s'évanouit.

Elle baissa les yeux sur son assiette.

— Ça commence à se voir. Je dirai aux gens que c'était une histoire d'un soir, ce qui est vrai.

Il comprenait la salopette.

— Tu es trop jeune pour avoir un enfant, dit-il.

— Pas d'après l'échographie.

— D'après le bon sens. Tu te rends compte du poids du secret ?

— Très lourd, admit-elle. Mais à toi, je l'ai dit. Et je ne te demande rien.

– Bien sûr que si! Cet enfant saura qu'il y a quelque chose de bizarre. Il le sentira.

– Mes parents ne se parlent plus, dit-elle en repoussant une fourchette pleine de nourriture en travers de son assiette. Teddy voulait t'envoyer dans une école militaire. Cet enfant ne se sentira pas plus bizarre que n'importe quel enfant.

– Nous avons tous les deux commencé avec des parents normaux, mariés, dit-il. Tu n'as pas d'argent, pas de travail.

– J'ai un travail.

– Dans un bar.

Soudain, il sursauta.

– Tu dois arrêter. Les gens fument, dans un bar.

– Tu protèges cet enfant, maintenant?

– Oh, Abby, dit-il. Qu'est-ce qui t'arrive?

– J'ai réfléchi, dit-elle. À chaque seconde de chaque jour. J'en ai rêvé. Je voulais vraiment, mais vraiment, m'en débarrasser, et je n'ai pas pu. C'est impossible.

– Abby, je t'en prie.

Elle secoua la tête. Le patron du restaurant arriva avec un pichet d'eau, leur demanda s'ils voulaient un dessert. Abby secoua une nouvelle fois la tête en fixant ses cuisses.

– Merci beaucoup, dit le patron. Bonne fête de Thanksgiving.

Il remplit leurs verres et s'éloigna d'un pas traînant.

22

En apprenant que sa petite-fille aurait un enfant au mois d'avril, Teddy se livra à un rapide calcul mental, une habitude qui datait du temps de sa jeunesse où les enfants naissaient tous tellement tôt – si vous partiez du principe qu'ils avaient été conçus la nuit du mariage. Dans le cas d'Abby, il ne pouvait se référer à aucune date de mariage, ce qui agaçait Teddy plus qu'il ne voulait bien se l'avouer, mais il compta les mois, malgré tout. Neuf mois avant avril, cela faisait juillet, le mois où il avait épousé Yvette en 1942. Yvette n'était pas enceinte à ce moment-là, quoique la chose eût été possible ; rien qu'en y repensant, il ne pouvait s'empêcher de rougir de honte.

Son calcul le ramenait constamment à son remariage avec Yvette en juillet et au souvenir de Jamie ouvrant la porte de la chambre du motel, en l'absence de Clarissa, une serviette autour de la taille. Il revoyait l'adorable petite Abby endormie dans un lit et le second lit ouvert sur des draps parfaitement lisses et tendus.

Trois jours durant, il pensa à ce qu'il savait désormais. Il n'était pas à proprement parler surpris. Il avait bombardé des populations au sol, au-dessous de lui, et tourmenté sa femme à propos d'une transgression imaginée de toutes pièces : il comprenait que les gens commettent des actes qui les dépassent. Il n'aurait pu expliquer d'où lui venait la certitude qu'Abby n'avait fait l'amour avec personne d'autre, mais il le sentait au plus profond de lui. Et il se disait que Jamie devait maintenant connaître la vérité sur lui-même, que cela l'aiderait. Il avait toujours pensé que Jamie en serait soulagé : un homme doit disposer de toutes les informations valables relatives à sa situation. Le secret et le subterfuge obscurcissent le jugement, sont une source d'erreurs. Il était doublement convaincu, à présent, que l'information serait utile à Jamie : Abby était la cousine de Jamie, pas sa nièce. Une donnée importante, sur le plan médical. La taire serait immoral. Il avait connu des mariages entre cousins au second degré, avec une dispense de l'Église, et dont étaient issus des enfants en parfaite santé.

Au troisième jour de ses délibérations, il téléphona chez Clarissa où se trouvait le garçon qu'il considérait toujours comme son fils. À chaque instant – tandis qu'il décrochait le combiné, composait le numéro, écoutait les sonneries –, il était conscient de pouvoir encore tout arrêter et ne pas s'en mêler. Yvette assistait à une réunion à l'église, elle s'adressait aux futurs membres.

– Jamie, dit Teddy.

– Papa. Salut.

Jamie avait la voix fatiguée.

– Tout va bien ?

– Oui, très bien, dit Teddy. Ta mère est en train de faire du recrutement.

C'était une blague, entre eux, mais Jamie ne rit pas.

– Très bien, dit Jamie.

– Comment se porte Abby ?

Il y eut un silence à l'autre bout du fil, confirmant ce que savait Teddy.

– Ça va, dit Jamie.

– J'ai quelque chose à te dire, poursuivit Teddy. Cela ne m'avait jamais paru important avant.

Il mentait. Il lui arrivait de penser que c'était la chose la plus importante de toute son existence, plus importante que la guerre.

– OK, dégaine, dit Jamie qui restait sur ses gardes.

– J'aimerais que cela reste entre nous, dit Teddy. Si possible.

– OK, dit Jamie.

– Ta mère et Margot n'apprécieraient pas que je t'en parle, dit Teddy.

Il avait projeté d'aller droit au but mais une entrée en matière lui semblait soudain nécessaire. Alors qu'il répétait ce moment depuis des années en pensée, et parlait simplement et directement, voilà qu'il hésitait, ne savait plus très bien quoi dire.

— Ta mère et Margot…, reprit-il.

— Oh mon Dieu, dit soudain Jamie. Oh, mon Dieu, arrête.

Teddy entendit quelque chose se briser, à l'autre bout du fil.

— Tais-toi, papa, dit Jamie. Je t'en prie.

23

Margot, à moitié endormie, décrocha le téléphone à côté de son lit en pleine nuit et entendit à l'autre bout les cris hystériques de sa sœur. Il lui fallut beaucoup de temps pour comprendre ce qui se disait parce que Clarissa ne parvenait pas à respirer normalement, étranglée par les sanglots.

En apprenant qu'Abby était enceinte, Margot avait trouvé injuste que les jeunes filles soient si fertiles alors que ce n'était vraiment pas le moment de l'être. Lors de sa dernière grossesse, à trente-six ans, Margot s'était efforcée de garder son calme. Elle faisait de la méditation, cuisait des œufs à la crème, restait couchée. Au sixième mois, elle avait osé donner à l'enfant le nom de sa grand-mère, Lenore. Elle parlait à Lenore, lui chantait des chansons, la priait de bien vouloir rester. Mais elle avait perdu l'enfant, comme les précédents, dans un tel flot de sang qu'elle avait dû passer une semaine à l'hôpital. Après cela,

Owen lui avait demandé de ne plus essayer et elle avait été d'accord. Il lui semblait qu'elle ne surmonterait pas une nouvelle fois l'épreuve. Ainsi, quand chacun se mit à plaindre Abby d'être enceinte si jeune, Margot éprouva peu de compassion. Abby aurait un enfant, elle ne vieillirait pas sans enfants ni petits-enfants. Margot savait qu'il arrivait sans doute à Owen de penser qu'il aurait eu une vie meilleure, plus accomplie, avec une autre femme.

Mais Clarissa parlait d'autre chose, au téléphone. Abby avait un problème. Abby refusait de se soigner à cause de l'enfant. Clarissa voulait faire changer d'avis sa fille, elle estimait que Margot pourrait lui parler.

— Je t'en prie, arrête de pleurer, dit Margot. Je ne comprends rien si tu pleures.

— Owen est médecin! dit Clarissa, à nouveau capable de parler.

— C'est un chimiste, dit Margot. Il fabrique des médicaments pour la thyroïde.

— Il sait peut-être quelque chose!

— Il sait fabriquer des médicaments pour la thyroïde.

— Abby veut se faire baptiser, dit Clarissa. C'est pour cela qu'elle a accepté que je t'en parle. Elle pense que tu sais peut-être comment faire.

— Faire quoi?

— Se faire baptiser. Je dois juste téléphoner à un prêtre ou bien elle doit suivre des cours?

— Tu n'as pas baptisé ta fille?

Il y eut un silence à l'autre bout de la ligne et Clarissa eut un hoquet : entre le reste de sanglot et le soupir.

— Je croyais que tu étais au courant, dit-elle enfin. Henry trouvait ça ridicule et je considérais que l'église m'avait étouffée.

— Oh, Clarissa, dit Margot.

— Fous-moi la paix avec tes «Oh, Clarissa»! hurla sa sœur. Ma fille va peut-être mourir et tu viens me donner des leçons parce que je ne lui ai pas mis un peu d'eau sur la tête! Bordel de merde!

Margot était parfaitement réveillée, maintenant, mais elle ne comprenait toujours rien aux propos de sa sœur et elle lui demanda de répéter.

24

Abby était venue passer Noël à la maison, avant que les choses tournent mal, et elle avait annoncé à sa mère qu'elle était enceinte. Clarissa avait pleuré une minute et demie puis s'était montrée enthousiaste. Elle n'avait pas l'air de trouver suspecte ou dérangeante l'absence de père.

— Ça me manquait, d'avoir un enfant, dit-elle joyeusement.

— Il va y *avoir* un enfant, dit Abby. Ce n'est pas toi qui va avoir un enfant.

Sa mère haussa les épaules comme s'il n'y avait pas de différence.

— Véra vient pour les fêtes, dit-elle. Je peux lui en parler ?

— D'accord, dit Abby.

— J'espère qu'elle te plaira.

— J'en suis sûre. Tu as l'air heureuse.

– Je crois, oui, dit Clarissa. Mais ce n'est pas seulement Véra.

Elle baissa la voix pour murmurer, alors qu'elles étaient seules :

– Ce sont les pilules.

– Ah bon, dit Abby, sans être certaine de bien comprendre sa mère.

– Ça marche vraiment, dit Clarissa. J'étais *out* au niveau chimique et je me sens beaucoup mieux, maintenant – enfin, je crois.

Elle fronça les sourcils.

– Parfois, j'ai des doutes.

– C'est bien, dit Abby.

Elle avait l'esprit un peu embrouillé. Le médecin considérait comme normal d'avoir des difficultés à se concentrer en période de grossesse.

– Mais je suis heureuse avec Véra, aussi, dit sa mère.

Véra était Hongroise et Abby, qui avait une notion plutôt floue des annexions et des révolutions, s'attendait à un être plus tourmenté que la femme droite et franche qu'elle vit arriver. Véra était totalement limpide, pleine d'optimisme et de bon sens. Elle avait abandonné une licence de mathématiques pour faire des gâteaux. Son père lui avait enseigné l'espéranto, ce qui l'avait aidée à apprendre l'espagnol à la pâtisserie. Elle avait du charme, avec ses cheveux blonds coupés court, et ses avant-bras puissants à force de soulever les gros sacs de farine.

Abby avait constamment sommeil et rêvait de choses précises et insignifiantes qui se réalisaient le jour suivant. La nuit de Noël, elle avait rêvé que sa mère lui offrait le même saladier vert en poterie qu'à Yvette et Teddy et le lendemain, il était là, emballé dans du papier de soie et un papier cadeau récupéré du Noël précédent. Elle rêva que son père s'exprimait dans le journal à propos de la qualité de l'eau et le matin, l'article y était – sans que soit mentionnée sa fille, mère célibataire, à son grand soulagement. Le jour du nouvel an, elle se réveilla dans son lit de petite fille avec une rage de dents et ayant rêvé qu'elle en avait perdu une. Elle prit rendez-vous chez le dentiste de son enfance.

– Qu'est-ce qui t'arrive, tu as croqué des cailloux? demanda-t-il gaiement dans son cabinet.

Puis il remarqua son ventre.

– Oh, dit-il.

Elle regretta de ne pas avoir attendu pour consulter un dentiste à l'université.

Elle en trouverait un à son retour.

– On a avalé une pastèque? demanda-t-il.

Elle lui sourit, souhaitant que la visite soit déjà finie.

– Allez, ouvre la bouche, dit-il et elle désigna l'endroit où elle avait mal et le comportement du dentiste changea.

Son humeur n'était plus à la plaisanterie. Il se rassit sur son siège, lui demanda depuis combien de temps elle avait mal aux dents, si elle souffrait ailleurs, depuis combien de temps elle était enceinte, jusqu'à ce que, finalement, elle s'inquiète.

Le dentiste l'envoya chez un médecin qui lui annonça sans grand ménagement qu'elle souffrait d'un cancer de la mâchoire. L'homme était bourru, avec des cheveux blancs, et il lui exposa les deux possibilités qui s'offraient à elle, selon lui. Elle pouvait commencer les rayons immédiatement, avec de bonnes chances de réussite face au cancer, et la perte de l'enfant. Une fausse couche à cinq mois présentait des dangers, mais ne pas traiter le cancer serait pire. Ou bien elle gardait l'enfant, qui ne serait pas affecté par le cancer, et retardait le début des rayons. Quatre mois pendant lesquels le cancer aurait évolué, et il ne pouvait rien garantir au niveau de son traitement. Certaines chimiothérapies n'endommageaient pas le fœtus mais elles seraient inopérantes sans rayons.

Abby pensa qu'elle était encore en train de rêver. Elle crut qu'elle allait éclater de rire, tant la situation était ridicule, et se mit la main devant la bouche. Puis, comprenant à quel point il serait effrayant de rire, elle se rendit compte qu'il ne s'agissait pas d'un rêve et regarda fixement le médecin.

– Vous voulez peut-être attendre un peu avant de prendre une décision, dit-il.

Abby hocha la tête.

– Vous voulez en parler au père ? demanda le docteur.

Abby acquiesça, puis secoua la tête.

– Le père n'est pas là pour le moment, dit-elle.

Elle sortit du cabinet de consultation et téléphona à Jamie depuis la cabine du hall, en lui répétant les propos du médecin.

– Bon, dit Jamie. C'est un message de Dieu. Le dieu des doigts croisés, l'esprit du *Great Western*, bref, le dieu qui te plaira. Commence les rayons.

– Alors, je perds l'enfant.

– Tu crois que ce sera bon pour lui, une mère morte ?

– Je ne vais pas mourir, dit-elle. Je commencerai les rayons après la naissance.

– Abby, dit-il. Je crois que j'ai mon mot à dire, dans cette décision. Va trouver le médecin et commence les rayons.

– Je ne peux pas.

Il y eut un long silence qu'elle rompit.

– Tu crois que je suis punie ?

– Sûrement pas ! dit-il après une hésitation à peine détectable, tant elle avait été brève. Mais elle était bien là. Il pensait qu'elle était punie – qu'ils étaient tous les deux punis.

Elle dit au médecin qu'elle voulait réfléchir jusqu'au lendemain, rentra chez elle et s'allongea sur son lit, dans son ancienne chambre bleue de la maison de sa mère, imaginant l'enfant en train de se développer, dans son ventre, et le cancer, dans sa mâchoire. Le bébé bougeait, elle avait mal à la bouche. Elle l'avait vu bâiller, sur l'échographie, et découvert son petit squelette, les battements des quatre cavités du cœur et la petite vessie déjà pleine. Il faisait partie d'elle. Si elle le perdait à cinq mois, pour se sauver elle, elle en mourrait de chagrin, vidée de son sang.

Elle finit par s'endormir, elle sentit que son esprit était vide, comme si toutes les informations en avaient été effacées, et elle se réveilla à l'aube, convaincue de ce qu'elle devait faire. L'absence de rêve correspondait à une absence de signe, elle devait agir selon sa foi. Elle entra dans la cuisine où sa mère préparait du café et annonça qu'elle voulait se faire baptiser.

— Catholique? demanda la mère, la bouilloire suspendue en l'air.

Abby hocha la tête. Elle voulait des rituels, des cierges, des règles.

— C'est une blague.

— Pas du tout.

— Assieds-toi, dit sa mère. Et dis-moi ce qui se passe.

25

Jamie avait quitté l'université pour s'installer à Sebastopol dans la salle de jeux, comme autrefois, et il conduisait Abby à l'église tous les matins. Elle fut baptisée un mardi, après la messe de huit heures, et Jamie assista au baptême : ils étaient tous les deux seuls avec le prêtre et quelques badauds piqués par la curiosité.

— Je veux me confesser, murmura Abby, le front encore humide de l'eau bénite.

— Ah, non, pas ça.

— Si, je dois.

— Dis-le toi-même à Dieu.

— Je *dois*, dit-elle. Ce n'est pas pareil.

— Ce sont des hommes comme les autres, dit Jamie. Ils n'ont rien de magique. Ils n'ont pas besoin de savoir.

Malgré tout Abby s'adressa tranquillement au prêtre qui opina et l'accompagna jusqu'au confessionnal. Jamie attendit dehors, au soleil, refusant de voir l'expression de l'homme lorsque Abby aurait fini. Elle avait l'air sereine et sûre d'elle, à sa sortie.

La sérénité demeura : Jamie avait vu dans sa conversion le symptôme du traumatisme, or Abby avait apparemment définitivement changé. Il semblait qu'un vide s'était soudain comblé en elle. Il espérait que son ancienne sensibilité profane – ou son égoïsme basique – reprenne le dessus, la fasse changer d'avis et accepter de commencer le traitement. Mais elle ne voulait pas prendre le risque de tuer l'enfant et sa décision était inébranlable.

Clarissa était furieuse.

– Est-ce qu'elle veut le garder à cause de Dieu ? demanda-t-elle à Jamie.

– Je n'en sais rien.

– Tu as dit un jour que choisir le catholicisme c'était comme décider de devenir stalinien, dit-elle.

– Moi, j'ai dit ça ? demanda-t-il même s'il se savait capable de dire une chose pareille.

Henry arriva alors que Jamie était déjà installé dans la salle de jeux et découvrit d'un coup l'étendue de la réalité. Sa fille de vingt-deux ans enceinte d'un inconnu, rongée par un cancer qu'elle refusait de soigner, et devenue catholique fervente, et son ex-femme dans les bras d'une spécialiste en gâteaux de mariage. Il menaça les médecins de poursuites pour n'avoir pas suffisamment insisté sur la nécessité du traitement et fulmina contre

Clarissa incapable d'offrir un environnement stable à leur fille. Clarissa en parla à son thérapeute et ils tombèrent d'accord pour augmenter les doses jusqu'à ce que les choses se calment. Elle laissa le flacon orange près de l'évier de la cuisine, Jamie le vit et jugea que quelques pilules ne changeraient pas grand-chose.

Sur ce, Teddy avait téléphoné en cherchant ses mots pour révéler la vérité sur la naissance de Jamie, lequel avait tiré par mégarde sur le cordon du téléphone et renversé le mixer dont le récipient en verre s'était fracassé sur le sol de la cuisine de Clarissa. Loin d'éprouver du soulagement à l'idée que l'enfant présentait moins de risques, sur le plan génétique, Jamie eut le sentiment que le sol se dérobait sous ses pieds : rien n'était stable, aucune de ses relations n'avait jamais été sûre, rien de ce qu'il avait cru savoir sur lui n'était vrai. Margot, qui l'avait toujours ignoré, était sa mère. Yvette, avec son histoire de contractions devant la tapisserie de Bayeux, était sa grand-mère, et Clarissa, sa sœur préférée, sa tante. Abby était sa cousine. Teddy était l'arrière-grand-père de l'enfant, doublement.

Après mûre réflexion, Jamie alla trouver Abby et lui répéta ce que Teddy lui avait dit. Il pensait qu'elle serait moins encline à se punir si elle apprenait qu'il n'était pas son oncle. Elle se reposait, couchée dans son ancienne chambre bleu pastel, les mémoires de Thomas Merton appuyés contre les genoux. Elle l'écouta, tandis qu'il lui parlait, puis le considéra longuement.

— Tu restes mon oncle, dit-elle enfin. Pauvre Margot.

— Margot est une femme dure, pendant tout ce temps, elle a gardé le silence.

— Elle a sûrement dû vouloir te reprendre.

Jamie sentit monter en lui quelque chose qu'il enfouit aussitôt.

— Les cousins peuvent se marier, en Californie, dit-il. J'ai demandé à ton père.

— Tu as *quoi*?

Il éclata de rire. Rire lui faisait un bien étrange, il tenta de se rappeler quand il avait ri pour la dernière fois.

— Mais non, dit-il. Je me suis renseigné.

Abby essaya de l'écarter du lit, mais elle riait, elle aussi.

— C'est vrai, à propos des cousins, dit-il. On pourrait s'installer ensemble, comme n'importe quel couple.

— Tout le monde croit que j'ai perdu la tête, dit-elle. *C'est toi* qui perds la tête.

Il lui enlaça les genoux à travers le dessus-de-lit.

— Abby, s'il te plaît, dit-il. Tu veux bien commencer le traitement?

Elle cessa de rire et secoua la tête ainsi qu'il s'était habitué à la voir faire.

— Je suis désolée, dit-elle. Je ne peux pas.

Le cancer évoluait vite. Un médecin expliqua que

c'était lié à la grossesse – le cancer progressait de la même manière que ses cheveux, ses ongles ; tout semblait agressivement vivant, chez elle. L'enfant naquit à terme, après un accouchement sans complications, un petit gaillard de trois kilos et demi. D'après le document officiel, il était né de «père inconnu». Tandis qu'Abby dormait, Jamie observa son fils derrière la paroi en verre de la maternité, dans un berceau étiqueté GARÇON / COLLINS – le nom d'Abby, le nom d'Henry – et il essaya de ressentir de la chaleur.

Abby l'appela Théodore James puis le chirurgien l'opéra de la moitié gauche de la mâchoire, ce qui l'empêcha de parler, et elle commença les rayons et la chimiothérapie, ce qui la rendit constamment malade et fatiguée. Les médicaments qu'on lui prescrivit contre la nausée, parce qu'il n'était pas question qu'elle vomisse, lui donnaient de violentes migraines. Jamie ne la vit pleurer qu'une seule fois, frustrée de ne pas pouvoir allaiter. Jamie et Clarissa s'occupaient du bébé à tour de rôle, Abby le prenait dans ses bras quand elle pouvait. Elle leur écrivait des petits mots sur un bloc-notes près du lit, disait à quel point l'enfant était beau.

Il y avait toujours une télévision allumée quelque part dans l'hôpital et Jamie regardait les informations pendant qu'Abby dormait. Il essayait de se concentrer sur le siège de Waco ou les massacres en Bosnie mais tout semblait trop lointain, trop irréel. Il avait pris dans la bibliothèque de Clarissa un livre de biologie sur la théorie évolutionniste, et, en le lisant, il en voulut à Abby de s'être ralliée au Ciel et à la Terre, à Adam et Ève. Puis le bébé se réveillait, ou bien quelqu'un de la famille téléphonait, demandait ce qu'il pouvait faire, et Jamie était obligé de répondre : rien.

Yvette, toujours aussi infatigable, organisa le baptême et apporta l'ancienne robe de baptême de Jamie, qu'elle mit au bébé. Un vieux curé bienveillant – pas celui qui avait confessé Abby – vint à l'hôpital. Abby renonça à son bandana rouge, qui lui donnait des airs de chef de gang après la bataille, au profit d'un chapeau bleu pâle apporté par Yvette. Jamie, présent en tant que parrain, n'avait rien écouté jusqu'à ce que le prêtre lui demande :

– Abjurez-vous Satan ?

Confronté à l'image d'un démon armé d'une fourche, Jamie ne répondit pas. Il avait envie de dire que le mal faisait peut-être partie de l'existence humaine. Il voulait réfléchir. Le vieux curé sourit, répéta sa question, comme si Jamie pouvait ne pas avoir entendu.

– Bien sûr, dit Jamie.

À côté de lui, Yvette murmura :

– Tu dois répéter toute la phrase.

– Oui, j'abjure Satan, dit Jamie en regardant Abby dans son lit d'hôpital.

Incapable de sourire, à cause de sa mâchoire, elle réussit à lui adresser un regard chargé à la fois de tristesse, de moquerie et de reconnaissance.

Clarissa avait d'abord refusé d'assister à la cérémonie. Elle voulait bien se prêter à tout, mais pas à ce genre de supercherie. *Je tiens à cette supercherie*, avait écrit Abby sur le bloc-notes près du lit. Et Clarissa se tenait à côté d'elle, l'air maussade, tandis que le prêtre humectait le front du bébé et déclarait qu'il était Théodore James, enfant de Dieu.

— Un autre Teddy, dit Yvette en dénouant le fil métallique d'une bouteille de champagne.

— C'est Tee Jee, dit Jamie.

Yvette lui tendit la bouteille.

— Je n'ai plus de force dans les mains, dit-elle. Tee Jee, on dirait un nom de bandit.

— Eh bien, ce sera un bandit, dit Jamie. Il fit sauter le bouchon et remplit les verres.

Grisée par le champagne, Yvette s'assit au chevet d'Abby et lui prit les deux mains dans les siennes. Dieu accompagnerait Abby à travers tout, parce qu'elle L'avait cherché, Lui avait fait confiance, et l'enfant serait béni. Abby acquiesça en remuant son visage déformé serré dans un bandage et Clarissa quitta la chambre d'hôpital, écœurée.

Des juristes placèrent l'enfant sous la tutelle de Jamie et Abby lui écrivit un mot sur son bloc-notes. Hallucinée par la morphine, elle avait profité d'une interruption suffisamment longue de la perfusion pour griffonner d'une écriture plus distendue que d'habitude :

Jamie, je ne regrette rien. Je souhaiterais passer avec Tee Jee toutes les années que tu vas passer avec lui – j'aimerais les vivre avec vous deux. Mais il sera magnifique, aussi bon que toi, et le monde sera différent, grâce à lui. Alors je t'en prie, n'aie pas de regrets, toi non plus.

Elle mourut sous morphine, dans la nuit. Jamie brûla le message sur le parking de l'hôpital, avec l'allume-cigares de sa voiture. Les mots risquaient de trahir sa paternité, sa mémoire vacillait tant son sommeil était perturbé. Il ne pouvait pas garder la trace de lettres secrètes, pas plus qu'il ne pouvait cesser de regretter ; déjà, il regrettait tout. Il avait un fils de trois mois et Abby était morte.

Les mouvements de tête revinrent, plus que jamais, et Jamie balançait la tête en direction du plafond, dans la chambre d'Abby, à Sebastopol : non, non, non. Il faisait chauffer des biberons, changeait des couches, éperdu de nostalgie pour ce qu'il n'avait jamais connu : une femme, la routine d'un emploi, le lointain espoir d'avoir un enfant. Abby lui manquait et il lui en voulait, et il avait peur qu'elle lui manque, et de lui en vouloir. Clarissa disait que l'enfant avait besoin de leur présence heureuse et attentive, sans quoi son développement en serait retardé. Jamie serait présent, il ne pouvait faire autrement ; mais il ne pourrait être heureux.

26

Ayant appris l'histoire d'Abby, les journalistes appelè-
rent Henry pour obtenir des interviews, mais on leur
répondit que le député ne s'exprimerait pas. Henry
croyait savoir ce qu'était le chagrin, mais rien ne le bouleversa comme la mort d'Abby. Difficile, après tant d'années passées si loin d'elle à Washington, de concevoir
qu'elle soit définitivement partie. Il gardait l'impression
de pouvoir à tout moment décrocher le téléphone et
entendre sa voix. Il avait échoué dans la tâche la plus
élémentaire d'un père, maintenir son enfant en vie.

Sa relation avec Abby avait toujours ressemblé à une
relation adulte : elle avait vécu sereinement le divorce,
dîné avec lui au restaurant, mené sa campagne à ses
côtés. Il pensait qu'Abby avait été privée de jeunesse, il
reprochait à Clarissa de l'avoir quitté alors qu'ils auraient
peut-être pu trouver un équilibre. Il se rendait maintenant compte qu'il avait attendu avec impatience de

fréquenter sa fille en tant qu'adulte, lorsqu'elle aurait enfin un âge qui correspondrait à son comportement. Il lui était arrivé de penser qu'elle pourrait étudier le droit, exercer avec lui, un jour. Ensemble, ils avaient vu un film dans lequel le père et la fille, tous deux avocats, s'affrontaient pour défendre chacun la partie adverse dans une même affaire avant de se retrouver à la fin – après avoir évincé le petit ami minable – et cette histoire l'avait transporté. Par la suite, il avait revu le film en vidéo.

Rien de cela ne se produirait. Le jour où il avait appris la situation d'Abby, il avait voulu tuer le père de l'enfant. Il désirait le tuer, de sang-froid. Ce n'était pas une envie passagère ; c'était profond, durable. Il se sentait capable de refermer ses mains autour du cou du garçon, lui écraser la trachée et le regarder mourir. Il avait eu de la chance, pendant la guerre du Vietnam ; des kilomètres d'océan le séparaient de la guerre. Une chance dont il avait honte, tout en se disant que son âme, ou ce qui y ressemblait – sa santé mentale, peut-être –, avait été préservée par cet éloignement. Désormais, il savait que son âme était aussi noire que celle de n'importe qui, et qu'il n'hésiterait pas à assassiner allègrement l'ordure qui avait fait un enfant à Abby, la condamnant ainsi à mourir.

Clarissa prétendait qu'Abby se laissait mourir à cause de sa conversion, que son catholicisme l'empêchait de suivre le traitement. Henry était prêt à la croire mais après avoir parlé avec sa fille, une partie de sa colère avait reflué. Il pensait la comprendre mieux que Clarissa. Elle avait fait ses propres choix, ne se sentait pas victime de qui que ce soit. Elle avait reçu une mauvaise donne, elle jouait le jeu. C'était son droit, de prendre des risques. Elle possédait une nature de stratège, son Abby. Elle n'avait pas perdu à cause de sa conversion ; elle s'était convertie parce qu'elle risquait de perdre.

Mais comme il aurait voulu qu'elle gagne.

Yvette organisa la messe des funérailles et Henry n'était pas sûr de tenir le coup, il vint malgré tout. Assis à l'écart de la famille de Clarissa, dans l'église, il observa l'enfant d'Abby dans les bras de Jamie et se sentit terriblement seul. Ils lui avaient demandé de dire une homélie, il en était incapable ; ce qu'il éprouvait ne regardait personne d'autre que lui. Il s'efforça de maîtriser son chagrin et partit précipitamment, dès la fin.

Un mois plus tard, Clarissa débarqua à l'improviste dans son bureau de Sebastopol. Elle n'y avait pas mis les pieds depuis leur mariage. Une photo d'Abby en train de rire était accrochée au mur, Clarissa la regarda fixement puis détourna les yeux. Les cheveux coupés très court, nageant dans une robe informe, elle s'assit en face de lui, les jambes jointes, les mains sur les genoux.

– Je voudrais te parler d'une question de garde d'enfant.

– Je ne m'occupe pas de garde d'enfant.

– Ah bon?

– Non.

Clarissa fronça les sourcils.

– Mais tu connais la loi?

– Pas vraiment. C'est à propos de Jamie?

Clarissa reprit sa respiration.

– Le cousin français de ma mère a donné à Jamie un camping-car Airstream, dit-elle. Son visa avait expiré et il est rentré en France. Jamie veut emmener l'enfant voir Margot en Airstream.

Henry essayait de ne pas perdre le fil.

– Pourquoi Margot?

Clarissa secoua la tête.

– C'est là qu'il était allé, après le collège, et ça ne lui avait pas tellement réussi. Il prétend pourtant qu'il doit y aller. Il dit que c'est pour ça que Planchet lui a donné l'Airstream.

– Le moteur est en bon état?

– Comment veux-tu que je le sache?

– Jamie est le tuteur légal, dit Henry.

– Seulement parce qu'il a accepté d'être le parrain – et d'abjurer Satan. Il n'a jamais élevé un enfant. Et il est seul. Moi, j'ai quelqu'un.

— Enfin, dit Henry.

— Mais si!

— Elle sait que tu es ici?

Clarissa ne répondit pas.

— Abby a fait un choix, dit-il. Je pense qu'elle y a réfléchi. Jamie est le tuteur. Nous devons lui laisser une chance.

Clarissa le fusilla du regard.

— Cet enfant est ton petit-fils, dit-elle.

— Je sais.

— Tu ne veux pas qu'il ait des lesbiennes pour parents, c'est ça?

— Il ne s'agit pas de cela, dit-il — même si, supposa-t-il, il y avait un peu de cela aussi.

— Tu pourrais obtenir la garde de l'enfant, dit-elle.

— C'est vraiment ce que tu souhaites?

Clarissa se tut, les yeux rivés sur ses genoux.

Après son départ, Henry resta assis à son bureau, le visage enfoui dans les mains. Il se demandait comment il parviendrait à travailler de nouveau, travailler vraiment, comme avant. Au cours des dernières semaines, il s'était borné à signer des chèques. Il avait toujours pensé qu'il travaillait pour Abby. Pour sa génération, certes, mais plus particulièrement pour Abby: pour qu'elle ait accès à un air plus sain, une eau plus pure, des professeurs mieux payés — autant de choses dont il fallait s'occuper.

Mais il n'allait pas de soi d'aimer une génération, en particulier celle d'Abby, sans Abby. Lui qui avait coutume de se moquer d'Yvette à propos de son adoration pour les Kennedy se rappelait avoir lu la réponse du vieux Joe Senior au sujet des préparatifs de l'enterrement de sa fille. «Je n'ai aucun projet, avait-il dit. Aucun projet.»

Le visage toujours caché dans les mains, derrière son bureau jonché d'un mois de documents divers, il aurait été bien en peine de dire combien de temps s'était écoulé lorsque sa secrétaire lui annonça le coup de téléphone de Clarissa. Il décrocha le combiné, des étoiles fusèrent devant ses yeux libérés de la pression de ses paumes, il entendit Clarissa annoncer que Jamie, l'Airstream, une caisse de biberons, une boîte de couches et l'enfant avaient pris la route.

III

Allons, tu viendras à la maison, et nous aurons de la viande
le dimanche, du poisson les jours d'abstinence,
et aussi des puddings et des crêpes. Tu seras le bienvenu.

Shakespeare, *Périclès*

Il se pourrait que ce soit vrai, Cratylus.
Mais il se pourrait aussi que ce ne le soit pas.

Socrate

27

Les deux premiers jours du voyage vers la Louisiane, le bébé pleura énormément, vomit ses biberons et Jamie se demanda ce qu'il foutait là. Mais à la moitié du Texas, Tee Jee se transforma en bébé nomade. Il se réveillait affamé sitôt qu'ils s'arrêtaient, il pleurait un peu puis mangeait et souriait en adressant à Jamie un regard interrogateur et déconcertant. Et dès l'instant où le camping-car démarrait, il sombrait dans le sommeil.

En conduisant, Jamie repensa à la première fois qu'il s'était rendu en Louisiane, fou de rage contre ses parents. À l'époque, il espérait que Margot l'accueille et lui obtienne un emploi, comme ils l'avaient projeté avec Gail, au lieu de quoi elle lui avait trouvé un appartement et il avait atterri sur un derrick. Puis il avait parcouru le chemin en sens inverse, vers Sebastopol, pour s'installer chez Clarissa et Abby où le cours de sa vie avait changé. Maintenant il refaisait le trajet avec l'enfant d'Abby.

Il réfléchissait au destin, se demandait s'il aurait été possible d'éviter d'en arriver là. Une orientation différente avait dû se présenter, à un certain moment. Il aurait pu rester en Louisiane, à jouer les durs, ou épouser sa chère Gail à l'esprit mal tourné. Or chacun des choix qu'il avait faits, jusque-là, avait semblé le seul concevable. Et ces questions l'amenèrent à se souvenir d'Abby avant la grossesse et avant la maladie, des pensées trop douloureuses pour être formulées.

Il se gara devant ce qui correspondait à l'adresse de Margot, dans une large rue tranquille, plantée de saules, et il se sentit nerveux. La maison était plus vaste que celle où il s'était retrouvé en exil à douze ans, où il avait ensuite dîné à vingt ans, triste et malheureux, en écoutant une blague d'Abby sur les éléphants. Il s'était imaginé cette maison-là et il était désorienté. Il avait demandé à Planchet ce qu'il devait dire à Margot. «Tu lui dis: "Je comprends, je te pardonne, je t'aime, s'il te plaît, laisse-moi te parler", avait dit le vieux Français. *C'est tout*.*»

Mais elle pouvait nier. Il ne savait pas comment penser à Margot: comme à sa mère? Sa sœur? Sa mère. Il n'allait pas rester dans la rue et jouer à *Chinatown*. Il avait traversé le pays en voiture, il devait agir. Il sortit Tee Jee de l'Airstream en l'emportant dans son siège de bébé semblable à un panier, et se dirigea vers la porte, dans la chaleur moite.

Ils s'assirent dans le salon, devant du thé glacé et des biscuits disposés sur un plateau. Tee Jee souriait en agitant les bras et les jambes. Margot portait un chemisier blanc impeccable, ses cheveux toujours blonds étaient ramenés vers l'arrière, sur le cou. Elle paraissait jeune pour cinquante ans, à la manière des femmes riches, mais donnait aussi l'impression d'avoir toujours été adulte. C'était l'image que Jamie avait d'elle. La présence du bébé semblait la perturber, mais elle se donnait une contenance. Elle dit à quel point les choses étaient différentes, en 1959, pour une jeune fille de seize ans issue d'un milieu bourgeois catholique.

— J'étais très jeune, dit-elle.

Jamie affirma qu'il comprenait. Il s'efforçait de bien se conduire, il s'en rendait compte.

— Comment était-il ? demanda-t-il. Mon…

Il ne prononça pas le mot « père » car dans son esprit, Teddy restait son père.

— Un merveilleux danseur, dit-elle. Toutes les filles en étaient folles. Il roulait en décapotable blanche. Il n'était pas très grand.

— Il s'appelait comment ?

Margot reposa son verre de thé sur un sous-verre, sur la table.

— Nous l'appelions M. Tucker, dit-elle.

– Tu ne l'as jamais revu?

Elle secoua la tête.

– Il a quitté le collège.

Il pensait dire à Margot que l'enfant était de lui – puisqu'il attendait d'elle qu'elle soit honnête, il se devait de l'être à son tour. Elle était sa grand-mère. Mais la conversation semblait terminée pour Margot.

– Qu'est-ce que tu comptes faire? demanda-t-elle.

Jamie répondit qu'il ne le savait pas vraiment.

– Pourquoi tu ne resterais pas quelques jours, le temps de te décider?

– On peut dormir dans l'Airstream.

– Voyons, je t'en prie, dit Margot. Tu loges ici.

Jamie et l'enfant s'installèrent dans une chambre d'ami au couvre-lit jaune et blanc, avec une carafe d'eau sur la table de nuit. Des enveloppes et du papier à lettres étaient disposés sur un bureau: un papier épais, couleur crème, avec un saule pleureur en relief en haut de chaque page, accompagné d'un stylo plume et d'un encrier. Dans la salle de bains, il y avait des serviettes moelleuses et un peignoir dans le placard.

– On se retrouve pour le dîner, dit Margot.

– D'accord.

Cependant, Margot ne vint pas dîner. Après avoir installé Jamie, elle s'était retirée dans sa chambre et n'en était toujours pas ressortie lorsque son mari rentra du travail. Owen parut heureux de voir Jamie et l'enfant, mais surpris par la désertion de sa femme.

– Elle a préparé le dîner? demanda Owen.

Jamie, qui pensait que non, répondit que c'était sans importance.

Owen monta voir Margot dans sa chambre. Il revint, pâle et inquiet.

– Margot ne se sent pas très bien, dit-il. Je vais nous faire griller des steaks.

– Je peux aller la voir? demanda Jamie.

Owen lança un regard vers l'étage, en direction de la chambre.

– Pas maintenant, dit-il.

Il alluma le grill, tenta de faire une salade, des gestes au-delà de ses forces. Il finit par mettre les lambeaux de laitue à la poubelle et servir les steaks piqués au bout d'une fourchette.

Jamie essaya de faire la conversation.

– Fameux, les steaks, dit-il.

Owen ne disait rien.

– Magnifiques les pelouses, là-bas, dit Jamie. C'est bizarre, on ne voit aucun enfant en train de jouer.

Sa phrase à peine terminée, il comprit qu'il aurait dû se taire. Owen lui adressa un regard abattu.

– Il fait trop chaud, dit-il d'une voix morne.

Il ouvrit le freezer, jeta un carton de glace dur comme

de la pierre sur le plan de travail de la cuisine et retourna dans la chambre de Margot.

– Oh, merde, dit Jamie. Tu dois m'empêcher de dire tout ce qui me passe par la tête, dit-il à Tee Jee.

Tee Jee remua les jambes en souriant.

Jamie se servit un bol de glace qu'il mangea en entendant à l'étage des voix étouffées franchir les lourdes portes, se propager dans les couloirs recouverts de tapis, puis mourir à nouveau. Il lui semblait discerner des cris et des pleurs à travers ces sons assourdis ; la maison amortissait les moindres paroles. Il coucha Tee Jee dans la chambre d'ami après lui avoir donné un biberon. Une fois l'enfant endormi, il se sentit soudain fatigué et se mit au lit.

Il passa trois jours chez Margot à attendre qu'elle sorte de sa chambre. Il regardait la télévision, jouait de la guitare pour Tee Jee et mangeait des plats préparés avec Owen. Finalement, Owen lui demanda de partir.

– Elle ne va pas sortir, dit-il.

– Elle va bien ?

Owen secoua la tête. Les yeux cernés de noir, il avait l'air vieux et las.

– C'était pareil à sa dernière grossesse, après avoir perdu l'enfant. Elle pleurait sans arrêt, elle refusait de manger, on a eu une terrible dispute.

Il se frotta le visage.

— C'est à ce moment-là qu'elle m'a appris qu'elle avait eu un enfant.

Jamie hocha la tête.

— Je ne l'ai pas crue, d'abord. J'ai pensé qu'elle inventait.

Jamie se taisait.

— Je suis navré…, commença Owen, puis il s'interrompit. Tu étais probablement mieux avec Yvette, à cette époque.

— Certainement, dit Jamie.

— Je crois que c'est difficile, pour Margot, de te savoir dans la maison. Avec l'enfant.

— Je comprends.

— Laisse-moi te donner un peu d'argent, dit Owen. Je ne te paie pas pour que tu t'en ailles. Margot insiste pour te donner quelque chose.

Jamie fit non de la tête alors qu'il avait besoin d'argent. Ne serait-ce que pour retourner chez Clarissa, il lui faudrait des couches, de la nourriture, de l'essence, et il était de toute façon préférable de ne pas rentrer immédiatement chez Clarissa. Il n'avait rien prévu, au-delà de sa rencontre avec Margot. L'effondrement de Margot le prenait de court. Il accepta l'argent et commença à faire ses bagages, mais dès qu'Owen fut parti travailler, il grimpa à l'étage.

— Margot? dit-il devant la porte de sa chambre.

Il sentait qu'elle était là en dépit de l'absence de réponse. Il écoutait, à l'affût du moindre mouvement, sans rien entendre.

— Je voudrais te dire une chose que personne ne sait, dit-il en s'adressant finalement à la porte. C'est une longue histoire, en fait je suis le père de cet enfant. C'est ton petit-fils – biologiquement, je veux dire.

Il poursuivit, dans le silence.

— C'est très lourd pour moi, tout ça, je voulais quand même que tu le saches.

Il patienta. Il venait de jouer sa carte maîtresse, la tête lui tournait. Elle allait sortir, il en était sûr. Elle avait forcément des questions à lui poser.

— Et donc, M. Tucker est son grand-père, dit-il.

La porte resta fermée. Assis dans le couloir, il attendit jusqu'à ce que Tee Jee se mette à pleurer dans la chambre d'ami. Jamie descendit l'escalier.

Après avoir changé et nourri Tee Jee, il termina de charger l'Airstream. Alors qu'il se rendait une dernière fois dans la chambre d'ami, il vit une silhouette en peignoir disparaître dans le couloir derrière la porte d'une salle de bains.

— Margot ? appela-t-il, mais elle ne répondit rien.

Elle était si frêle, à peine une présence, comme un fantôme.

Dans la chambre d'ami, Tee Jee souriait, sanglé dans

son siège de voyage. Une des belles enveloppes couleur crème du bureau était calée sous ses pieds.

Jamie roula quelque temps dans les rues vides, tandis que le bébé s'assoupissait bercé par les vibrations du moteur, avant d'ouvrir l'enveloppe en la calant contre le volant. Il essaya de ne pas déchirer le saule pleureur gravé sur le rabat. À l'intérieur se trouvait une feuille de papier ligné bleu arrachée à un bloc-notes qui n'avait rien à voir avec le beau papier à lettres crème. D'une main précise imprégnée de l'instruction des nonnes, Margot avait écrit au stylo-bille rouge : « Frederick J. Tucker, 1306 Old Pine Road, Lewiston, Nouveau-Mexique. »

28

Margot était assise seule dans sa chambre. Owen travaillait, Jamie était parti. Le rabat du drap était parfaitement lisse, les oreillers soigneusement empilés à la tête du lit. Jamie lui avait amené un enfant, son fils, le petit-fils de Margot. Elle ne voulait pas entendre parler de l'enfant de son fils orphelin. Elle refusait de le voir, d'y être confrontée. La découverte lui coupait le souffle.

Elle avait depuis longtemps accepté qu'il ne lui soit plus donné de mettre au monde un enfant, à cause de celui qu'elle avait autrefois abandonné avec soulagement. Telle était la volonté de Dieu. Elle avait décidé que ses contributions au monde emprunteraient d'autres voies. Mais le retour de Jamie les avait toutes effacées de son esprit, provoquant des vagues de tristesse et de dégoût. Même après son départ, elle n'aurait pu dire la nature de ces contributions. Incapable de se concentrer, elle se rendit compte qu'elle mourait de faim. Elle venait de passer trois jours sans manger, à l'exception de quelques crackers pour dissiper les nausées engendrées par la présence de Jamie et de l'enfant.

Elle descendit – dans sa maison, Dieu merci, à nouveau vide – et ouvrit la porte du frigidaire. La fermeture étanche résista à la traction de son bras affaibli. Elle n'avait pas fait les courses depuis l'arrivée de Jamie, les étagères étincelaient d'un blanc provocant. Il restait six œufs dans le compartiment à œufs. Une boîte hermétique contenait un petit morceau de fromage, il y avait un pot de confiture à moitié vide et une bouteille de jus d'airelles dans la porte. Des légumes finissaient de faner dans le bac à légumes, un spectacle qu'elle préféra éviter.

Elle ouvrit la bouteille de jus d'airelles pour boire au goulot et en la reposant sur le plan de travail, elle se rendit compte qu'elle n'avait jamais fait une chose pareille. C'était à la fois frais, amer et doux.

Elle décida de préparer un soufflé – elle alluma le four, sépara les blancs des jaunes, battit les blancs en neige. Elle râpa le fromage mais lorsqu'il s'épanouit en fins flocons blancs de l'autre côté de la râpe, elle en ramassa une poignée qu'elle avala telle quelle. Il avait un goût tellement doux et salé, si bon. Elle en râpa encore, qu'elle mangea aussitôt. Dans le four, la dilatation provoquée par la chaleur se traduisait par de petits crépitements. À un moment, il n'y eut plus de fromage. Elle reprit une gorgée de jus de fruits à même la bouteille, se demandant que faire. Mme Planchet, en France, avait un jour cuisiné pour son mari un soufflé à la confiture qui lui avait valu un baiser appuyé sur la bouche. Margot sortit la marmelade d'oranges du frigidaire, l'incorpora aux blancs en neige et glissa le plat sur la grille du four.

« *Tu sais ce qu'un poussin dit à un autre poussin ?* » Dans sa tête, elle entendait Abby poser la question de sa petite voix de sept ans. Margot n'avait pas su répondre.

« *Regarde, l'orange a pondu.* »

Elle entendait encore les gloussements d'Abby. Margot n'avait pas compris la blague et Abby la lui avait répétée, expliquant qu'il y avait une orange dans le nid entre les deux poussins. Regarde l'orange a pondu – un œuf. Abby s'était à nouveau écroulée de rire. À l'époque, Margot s'était dit que l'orange aurait dû figurer dans la question, au début de la blague qu'elle ne trouvait de toute façon pas drôle, et qui, maintenant qu'Abby était morte, lui semblait d'une tristesse insoutenable. Le four émit un nouveau son de dilatation. L'odeur de la cuisson du soufflé aiguisait furieusement son appétit. Elle termina le jus de fruits et entreprit de dresser la liste de ses petites contributions. Sur une feuille de papier ligné bleu sortie du tiroir de la cuisine, elle inscrivit : *Épouse*. Elle pensa à la longue souffrance d'Owen, si bon et si dévoué. Elle griffonna une série d'ovales inclinés, une survivance des exercices d'écriture des religieuses de Notre-Dame de Lourdes, puis une série de barres obliques. Elle s'apprêtait à continuer avec : *Fille. Sœur.* Au lieu de quoi elle reposa le crayon, cessa de compléter la liste. Elle ne voulait pas voir la suite.

Owen rentra tôt de son travail et la trouva attablée devant le plat à soufflé dont elle raclait le fond à la cuillère, se régalant des dernières bouchées d'œufs sucrés au goût d'orange. Il sembla sur le point de s'évanouir de soulagement, posa son attaché-case près de lui.

– Tu es de retour ?

Elle avait du soufflé sur les doigts, ses paupières étaient lourdes et gonflées.

– Regarde, l'orange a pondu, dit-elle.

Owen eut à nouveau l'air inquiet.

– Je suis de retour, dit-elle.

Son mari l'embrassa, malgré ses lèvres poisseuses, la prit délicatement dans ses bras et l'emmena là-haut, dans la chambre.

29

Après le départ de Jamie, le psychiatre de Clarissa avait encore augmenté les doses. Elle adressait à Abby des lettres où elle décrivait la douleur qui lui enserrait le cœur, comme si la vie ne pouvait plus continuer. Elle expédiait ses lettres en les brûlant à la flamme d'une bougie, jusqu'à ce que Véra dise qu'elle finirait par mettre le feu à la maison. Véra se faisait du souci, à la longue.

Puis Jamie téléphona, sur la route, et lui parla de Margot et du professeur de danse. Elle lui fit répéter toute l'histoire lentement, depuis le début.

Margot avait passé sa grossesse en France. Margot avait couché avec le professeur de danse quand elle avait quinze ans. Margot avait confié l'enfant à Yvette, en secret, et n'avait jamais réussi à en avoir d'autres ensuite ; la jeunesse de sa sœur était bien plus cruelle que ne se l'était imaginée Clarissa. Elle lui passa un coup de fil, sans avoir la moindre idée de ce qu'elle dirait, mais Owen répondit que Margot était souffrante et ne prenait pas le téléphone.

Les jours suivants, Clarissa pensa à ses parents. Étant donné ce qu'ils savaient au sujet de Margot, elle avait le sentiment qu'ils accepteraient peut-être l'existence de Véra – ce n'était qu'une autre forme de transgression, après tout. S'ils la rencontraient, ils aimeraient Véra. Ils comprendraient plus facilement.

– Pourquoi devraient-ils être au courant, demanda Véra dans le jardin en coupant les derniers brins d'origan.

Véra avait peu d'accent mais la précision de son anglais la faisait paraître terriblement rationnelle. Lorsqu'elle téléphonait à Budapest en parlant hongrois à cent à l'heure, elle était comme n'importe quelle fille avec ses parents – impulsive et agitée – et Clarissa aurait aimé qu'elle s'exprime ainsi, maintenant.

– Je veux qu'ils m'acceptent comme je suis, dit Clarissa.

– C'est ce qu'ils font.

– Pas tant qu'ils ne savent pas que tu existes. Je ne peux pas t'amener à la maison.

– Ça ne me dérange pas.

– Je devrais pouvoir le faire, c'est tout, dit Clarissa. Comparé à ce que Margot leur a fait subir, ce n'est rien.

– Je crois que tu te trompes, dit Véra. Pas pour eux.

– Vraiment?

– Vraiment, dit Véra. Je ne crois pas du tout que ce ne soit rien pour eux.

Debout, un bouquet d'origan à la main, Clarissa se dit que Véra avait peut-être raison. Mais elle ne supportait pas d'admettre leur désapprobation éventuelle. Véra ne pouvait pas comprendre. Depuis qu'elle avait vingt ans, son père l'aimait et l'acceptait avec ses petites amies et tout le reste.

Sans en informer Véra, elle prit un jour de congé et descendit en voiture dans le sud, à Hermosa Beach. Sa mère était dans le jardin, elle transplantait des lobélies roses depuis leurs emballages en plastique. Le jardin croulait déjà sous les plantes néanmoins Yvette avait déniché un petit emplacement libre.

– J'essaie de les repiquer depuis une semaine, dit Yvette. Il y avait toujours un empêchement.

Elle embrassa Clarissa sans ôter ses gants de jardinage.

– Ton père aurait voulu être là, pour ton arrivée, dit-elle. Tu es splendide.

– Je vais bien.

– De quoi voulais-tu parler?

– Si on s'asseyait? demanda Clarissa. Et si tu enlevais tes gants?

Elles s'assirent à la table en verre martelé de la terrasse, sous le parasol vert, les gants de jardinage à fleurs posés entre elles, et Clarissa parla de Véra à sa mère.

Yvette cligna des yeux, les abaissa et considéra ses deux mains jointes sur la table, l'air peiné.

— Il vaut mieux que tu ne le dises pas à ton père, finit-elle par lâcher.

— Il sait que Margot a eu un enfant.

Sa mère leva les yeux sur elle.

— Moi aussi, je sais qu'elle a eu un enfant, ajouta Clarissa.

— Ce n'est pas la même chose, dit Yvette. Teddy t'aime tellement, Clarissa. Je crains que cela ne vous rende affreusement tristes, tous les deux.

Clarissa caressa la surface de la table. Le verre était lisse sur le dessus; le relief était sur l'autre face.

— Je ne crois pas que tu obtiennes ce que tu cherches, dit sa mère. Tu es sa préférée, tu sais.

Clarissa leva la tête.

— C'est vrai?

— Bien sûr.

— Il pourra peut-être comprendre, alors.

Sa mère secoua la tête.

— Je le connais tellement bien, mon ange. Je vis avec lui depuis si longtemps. Je t'aime et je serais ravie de rencontrer ta Véra. Mais je pense qu'il vaut mieux ne pas lui dire.

Elles restèrent un long moment silencieuses.

— Je vais te chercher quelque chose à boire, dit sa mère, et elle disparut à l'intérieur, laissant Clarissa seule.

Clarissa perçut des bruits de glaçons de l'autre côté de la porte grillagée, puis elle entendit son père arriver en voiture et se garer dans la rue. Il contourna la maison par l'arrière avec un sac à provisions en papier, la démarche légèrement inclinée pour ne pas perdre l'équilibre.

— Mais, c'est ma grande fille! dit-il. J'étais parti faire une course.

— Est-ce que je peux te parler, une minute? demanda-t-elle.

Il lui fallait se dépêcher, avant le retour de sa mère.

Son père hocha la tête.

— Je vis avec une femme, dit-elle.

Debout sur la terrasse, avec ses provisions, il sembla indécis, comme s'il n'avait pas saisi le sens de ses propos. Elle dut répéter, en des termes différents, pour qu'il comprenne. Il déposa alors le sac en papier sur la table et rentra directement dans la maison, le dos raide. Clarissa demeura seule, assise sur la terrasse sans que sa mère lui apporte à boire. Elle finit par inspecter l'intérieur du sac à provisions. Il contenait une boîte de glace napolitaine, un flacon de sirop au chocolat et un bocal de cerises au marasquin, de quoi confectionner des sundaes comme ceux qu'ils mangeaient lorsque Margot et sa mère étaient parties. Clarissa se rassit sur la terrasse, les yeux secs et douloureux.

Elle décida d'emporter le sac à l'intérieur. La cuisine était vide, la porte de la chambre de ses parents fermée.

Plantée au milieu du salon, elle ne savait plus quoi faire. Les livres de la bibliothèque traitaient de jardinage, de la Corée et de la Seconde Guerre mondiale, une étagère était réservée aux livres sur les différentes manières d'être un bon catholique. Sitôt lus, les romans se retrouvaient dans les ventes de livres de la paroisse. Sur la table près du canapé se dressait une Vierge au visage allongé, dans le style Modigliani. Dans la salle à manger, l'ancienne table laquée était toujours là, avec la porcelaine et le bar. Elle regagna la cuisine, aucun son ne s'échappait de la chambre. Elle envisageait de reprendre la route pour aller retrouver Véra lorsque sa mère sortit en refermant la porte derrière elle.

— Tu dois lui laisser un peu de temps, dit tranquillement sa mère.

Clarissa protesta, elle insistait pour le voir. Elle voulait lui tenir la main, bavarder avec lui. Elle voulait manger des sundaes à la glace napolitaine avec lui, lui dire qu'elle ferait tout pour lui. Mais sa mère s'interposait entre elle et la porte de la chambre en affirmant qu'ils l'aimaient tous les deux vraiment beaucoup, et qu'il fallait laisser faire le temps.

Clarissa se tut, retourna à sa voiture et rentra chez elle.

30

Lewiston, dans le Nouveau-Mexique, comptait 2 117 habitants à l'arrivée de Jamie. Pour y parvenir, il avait traversé une ville nommée Truth or Consequences[1] et plaisanté à voix haute sur le sujet, à l'attention de Tee Jee. Lewiston possédait une Fiesta Street, où jouaient des enfants bruyants, une Siesta Street, silencieuse et déserte, et quatre feux rouges. Il y avait également une petite école, une épicerie, une quincaillerie, un café et un prêteur sur gages.

Après avoir parcouru les différentes rues de la ville, pour gagner du temps, Jamie déboucha dans Old Pine Road. La route bordait la ville et, au numéro 1306 se trouvait une petite construction en bois flanquée de maisons ordinaires, précédée d'une étendue de gazon jauni. Assis dans

---

1. Vérité ou Conséquences. (*N.d.l.T.*)

l'Airstream, Jamie examina la maison. Il éprouvait la même sensation qu'enfant, sur le grand plongeoir. Plus vous attendiez, plus s'élancer devenait difficile ; il fallait sauter, voilà tout. Mais Jamie, qui avait débattu intérieurement, pendant la traversée de la Louisiane, du Texas et de la moitié du Nouveau-Mexique, restait indécis.

Il finit par descendre du camping-car, remonter l'allée pavée et frapper à la porte en pin. Il tendit l'oreille, attentif aux bruits à l'intérieur, et comme il ne se passait rien, il frappa une seconde fois au bout d'une minute. Toujours rien. Il fit le tour de l'enclos, foulant l'herbe rêche et regarda par une fenêtre, à l'arrière. La maison était disposée en L, la cuisine étant séparée de la chambre par une pièce d'angle qui devait être la salle de bains. Deux cierges blancs trônaient sur la table de la cuisine, des livres et des cassettes vidéo étaient éparpillés sur le sol, près du lit. Il y avait une paire de bottes de cow-boy rouges devant la porte d'entrée. Jamie continua le tour de la maison, longea une fenêtre surélevée d'où dépassaient les anneaux d'un rideau de douche et revint à son point de départ. Dans l'Airstream, Tee Jee, à peine réveillé, lui lança un regard dérangeant, interrogateur.

Jamie tenta sa chance chez les voisins : il frappa au numéro 1304, une maison basse ornée de stuc, et une femme aux yeux bleu délavé, coiffée de longues tresses grises, lui ouvrit. Jamie demanda si M. Tucker était en vacances ou s'il allait bientôt rentrer.

— En vacances de quoi? demanda-t-elle avec un rire cassant. Non, Freddie est dans les parages. Allez voir au café.

Elle esquissa un mouvement de retrait vers l'intérieur de sa maison.

— Vous pouvez me dire à quoi il ressemble? demanda Jamie.

Les yeux délavés se plissèrent.

— Non.

Elle referma la porte.

Tee Jee s'était mis à pleurer et tandis qu'il lui préparait rapidement un biberon, Jamie vit la femme l'épier à travers ses rideaux.

Sur le parking du café étaient garés un pick-up autrefois orange, une Honda blanche, une Buick bleue et une voiturette de golf. Jamie se demanda laquelle il aurait choisie, pour son père, et entra en tenant le siège de voiture de Tee Jee par l'anse.

La salle était climatisée, et une odeur de café grillé flottait dans l'air.

Les murs et les tables étaient en pin teinté, une vitrine en verre contenait un grand choix de pâtisseries près de la caisse. Des aquarelles d'artistes locaux et des paysages tout aussi locaux décoraient les murs. Jamie ne regarda pas les clients assis aux tables. Il n'avait pas envie de s'attacher prématurément à l'un d'eux. Se rendant directement au bar, il demanda :

— Je cherche M. Tucker.

La jeune fille qui travaillait là, une jolie blonde d'environ seize ans aux cheveux bouclés sur le front, veillait à maintenir ses épaules en arrière, pleine d'égards pour sa jeune poitrine d'adolescente. Elle ramassait des tasses vides et fit un geste du menton, par-dessus l'épaule de Jamie.

— Il est là, Freddie, dit-elle.

Jamie se retourna et aperçut un homme en train de regarder fixement par la fenêtre. Il avait de longs cheveux blancs retenus en queue-de-cheval à la base du cou par un ruban élastique froncé turquoise. Son visage était vieux sans être ridé. Il portait des bottes de cow-boy noires en peau de serpent et une veste de ranchero en toile. Margot avait raison : il n'était pas grand. Assis immobile, il semblait en transe. Puis il se tourna vers Jamie. Il avait des yeux sombres et étincelants, et il lui manquait des dents sur le devant.

— Vous ne vendez pas cet Airstream, par hasard ? demanda-t-il.

Surpris par la question, Jamie secoua la tête.

La serveuse blonde dit :

— Ce monsieur te cherche, papy.

Jamie calcula que la jeune fille – la petite-fille de son

père – serait donc une nouvelle nièce. Il eut la sensation d'avoir sauté dans autre chose que de l'air en quittant le grand plongeoir.

– C'est votre grand-père? demanda-t-il.

– Non, mais je l'appelle comme ça, dit-elle joyeusement. On s'est adoptés l'un l'autre. Moi, c'est Lauren.

Il serra la main qu'elle lui tendait. Elle avait des mains petites et puissantes.

Jamie s'approcha de la petite table de Freddie Tucker, posa le siège de voyage de Tee Jee sur une chaise en bois et s'assit. Il inspira profondément. M. Tucker lui sourit: un sourire bienveillant, en dépit des dents absentes.

– Vous avez connu une fille qui s'appelait Margot Santerre, demanda Jamie, au collège du Sacré-Cœur, à Hermosa, en 1958?

Freddie fronça les sourcils.

– Je suis très mauvais pour ce genre de questions, dit-il. Ma mémoire des années cinquante n'est plus ce qu'elle était.

– Une blonde vraiment jolie, poursuivit Jamie.

– Alors, j'espère l'avoir connue.

– Vous étiez professeur de danse, dans l'école, c'est ça? Avec Mlle Blair?

Le regard de Freddie s'éclaira.

– Mais oui! dit-il. Autant vous dire que je n'étais pas

Fred Astaire. J'étais plutôt – comment dire – je connaissais toutes les figures, un peu comme un jouet qu'on remonte. C'était avant que je développe mon cerveau.

Il hocha la tête, l'air solennel.

– J'ai oublié certaines choses, à cause de ce développement. Mon esprit n'arrivait plus à les contenir.

– Pas de Margot, alors, dit Jamie.

– Si vous me dites que je l'ai connue, ça doit être vrai. Je me suis guéri plus tard, j'ai retrouvé une partie de ma mémoire. Je guéris les autres, aussi. C'est mon occupation. Mon métier.

– J'ai vu votre maison, dit Jamie. Margot m'a donné votre adresse.

Freddie sourit fièrement, de toutes ses dents manquantes.

– C'est mon autre activité, dit-il. Je suis architecte. Autodidacte. Elle fait 57 mètres sur 76, si vous mesurez de l'extérieur.

Jamie approuva de la tête.

– Je me demande comment Margot a eu votre adresse.

– Aucune idée, dit Freddie. Je suis dans l'annuaire.

– Margot est ma mère.

Freddie inclina la tête sur le côté.

– Vous n'avez rien d'une belle blonde.

– Et il se pourrait que vous soyez mon père.

Freddie ne tiqua pas.

– Lauren, mon chou, appela-t-il, et la serveuse vint à leur table.

Sous son tablier, elle portait un short blanc, ses jambes étaient lisses et bronzées. Elle essuya ses mains humides de la vaisselle à son tablier.

– Est-ce que ce jeune homme me ressemble ? demanda Freddie.

Ils levèrent tous les deux la tête pour que Lauren étudie leurs visages. Jamie imagina à quel point Abby aurait trouvé comique le fait qu'une adolescente l'examine pour déterminer son origine et il fut submergé de tristesse à l'idée de ne pouvoir lui raconter.

– J'ai appris mon art à Lauren, dit Freddie, le visage toujours levé vers elle, comme pour une photo. Elle a le don de voir.

– Je crois en effet qu'il te ressemble, papy, dit Lauren. Oui, il te ressemble.

– Merci, mon cœur, dit Freddie, et Lauren retourna laver des tasses derrière le comptoir.

– Une fille très brillante, confia Freddie à voix basse. Une vie de famille atroce, pas de père. Je la conduis au collège le matin, pour lui donner un coup de main. Elle est en filière sportive, section pom-pom girl, elle collectionne les A.

– Formidable, dit Jamie.

– Bon. Freddie fit claquer sa main sur la table. Si tu es

mon fils, tu as six ex-belles-mères, deux demi-frères et une demi-sœur. Je suppose que tu n'as envie de rencontrer personne, parmi eux.

Jamie secoua la tête.

— Sage décision, dit Freddie. Je ne peux pas te donner d'argent.

— Je ne veux pas d'argent.

— Je peux t'apprendre mon art, dit Freddie. Si tu t'installes dans le coin. Ne jamais oublier que la réalité est une perception, c'est tout. La science l'a prouvé. Si tu contrôles ta façon de penser une matière, elle se comporte différemment. Ondes et particules.

— J'ai un enfant, dit Jamie.

Freddie jeta un coup d'œil à Tee Jee qui s'était réveillé et jouait avec un anneau de dentition.

— Il est malade? demanda Freddie. Je pourrais le soigner.

— Je pensais que vous seriez content de faire sa connaissance, dit Jamie. C'est votre petit-fils.

Freddie caressa la tête du bébé.

— J'ai deux petites-filles, dit-il à Jamie. En plus de Lauren. Mais pas de petit-fils. J'aimerais bien voir l'Airstream, aussi. On pourrait continuer les présentations dans l'Airstream?

Ils sortirent dans la chaleur sèche et gagnèrent le camping-car.

– C'est parfait, comme véhicule, dit Freddie à l'intérieur. À peine plus petit que ma maison, et on est libre d'aller et venir. Vois-tu, je me suis bien intégré à la communauté de cette ville, pourtant je serais tenté par ce genre de véhicule.

Jamie se rendit compte qu'il ne quittait pas des yeux la bouche de Freddie et ce dernier tâta du doigt sa gencive vide.

– Pour en revenir à cette Margot, dit-il. Son souvenir m'a échappé. Je t'ai expliqué que j'ai développé mon cerveau – eh bien un matin, je me suis réveillé avec un espace propice à l'expansion. Ça m'avait coûté trois dents. Il rit de sa propre blague, comme s'il ne l'avait jamais faite auparavant. J'ai porté un bridge avec des fausses dents, à un moment, dit-il, mais j'ai renoncé à la vanité. Et les gens qui m'aiment, comme Lauren, s'en fichent.

Jamie hocha la tête.

– Je pense à une chose, dit Freddie. Ici, c'est une ville agréable. Tu pourrais garer l'Airstream chez moi, pendant quelque temps. J'aurais l'impression qu'il est à moi, que je peux partir quand je veux. Sans le faire, bien entendu. Ne t'inquiète pas.

Jamie regarda Tee Jee, semblant chercher une réponse de ce côté-là. Il n'avait aucun endroit où aller. Tee Jee n'avait pas l'air de se poser de questions, il se bornait à avoir l'air d'un bébé.

– Je pourrais rester un peu, j'imagine, dit Jamie.

Il gara l'Airstream devant la maison et la population grimpa à 2 119 âmes. Les jours passaient, certains trop chauds pour penser, suivis de nuits de plus en plus froides. À la demande de Freddie, il aidait Lauren à faire ses devoirs de mathématiques et à résoudre les sempiternels problèmes. *Sachant qu'un train roulant à la vitesse X doit rejoindre un train roulant à la vitesse Y et que la distance entre eux est de Z, au départ, en combien de temps...* Tee Jee ne rentrait plus dans sa layette et Lauren collecta des vêtements hors d'usage auprès des familles de Fiesta Street : des barboteuses et des chaussons, et un tee-shirt sur le devant duquel était écrit : HECHO EN MÉXICO. Elle indiqua à Jamie le dispensaire le plus proche, pour la visite médicale de l'enfant, et elle s'occupa de Tee Jee pendant que Jamie remplissait les formulaires. L'infirmière sourcilla en voyant Lauren, si jeune, mais celle-ci sourit gaiement :

– Je ne suis pas la mère.

Elle désigna Jamie d'un mouvement de tête.

– Je suis sa nièce.

Jamie évitait le regard de l'infirmière et essayait de se concentrer sur les papiers à remplir. On demandait le nom de l'enfant. Sur l'acte de naissance, il s'appelait Collins, mais un homme seul avec un bébé éveillait suffisamment la méfiance sans porter de surcroît un nom différent. Le stylo à la main, il pensa à l'organisation du mensonge à l'origine de son acte de naissance français, et il eut un éclair de compréhension pour Yvette faisant ce qu'elle estimait juste, jour après jour. Finalement, il donna à Tee Jee son nom, écrivant « Théodore James Santerre » au stylo sur le formulaire.

Freddie mit au point des cours de contrôle de la réalité pour Jamie : il cachait des fiches portant la mention FORCE ET CONCENTRATION dans l'herbe sèche du jardin et envoyait Jamie les chercher, les yeux bandés. Il installa Jamie dans le salon plongé dans le noir, alluma les deux cierges de la table de la cuisine et dit à Jamie de se focaliser sur un point parfaitement équidistant entre eux. Il lui montra comment accroître les réserves d'oxygène de son cerveau en expirant l'air à travers ses dents, et lui expliqua que celui qui parvenait à la véritable concentration était capable de traverser un mur.

Jamie se pliait à ces exercices qui meublaient ses journées et le distrayaient de ses pensées – en ce sens, il en résultait effectivement un contrôle de la réalité. À la fin de l'automne, n'en pouvant plus, il se fit embaucher à la quincaillerie où l'on accepta qu'il garde Tee Jee sous le comptoir. Ranger des tournevis suivant leur taille revenait à parler à Freddie ; c'était une autre façon d'échapper au sentiment de dégoût qui surgissait à l'idée de la mort d'Abby et de contenir les balancements de tête.

Il essaya d'apprendre l'espagnol avec les autres employés. Certains soirs, il roulait vers les montagnes et campait sous une telle concentration d'étoiles qu'il voyait à peine à travers, et cela aussi le soulageait. Peu importait que ce soit le chaos ou Dieu, là-haut : sa vie sur terre lui semblait alors suffisamment dérisoire pour y faire face. Freddie affirmait que d'autres planètes étaient habitées ; la probabilité était trop forte pour que cela ne soit pas vrai. Pourtant même avec une infinité de probabilités, Jamie n'arrivait pas à envisager l'évolution de l'homme à partir de la reproduction d'êtres unicellulaires. Pas plus qu'il ne croyait que des singes pourraient finir par écrire *Le Roi Lear*. En ville, avec Freddie, il doutait, mais pas là-haut, dans les montagnes.

D'autres jours passèrent, et d'autres nuits, Tee Jee grandissait, marchait et parlait, ce n'était plus un bébé. Jamie envoya une photo à Teddy et Yvette, et une à Clarissa accompagnée d'un mot expliquant qu'il allait bien. Il pensait que Margot savait où il était. Il ne voyait pas comment lui présenter l'actuel M. Tucker et n'avait aucune envie d'essayer.

En ville, tout le monde flirtait avec Lauren qui conservait une douce inconscience. Avant les compétitions, elle mobilisait Jamie pour qu'il assiste à ses prouesses acrobatiques, tirant sur son débardeur en jersey brillant, radieuse lorsqu'elle réussissait, anéantie en cas d'échec, et insistant pour essayer à nouveau. Confronté aux bonds de son corps lisse, souple et bronzé à côté de lui, il s'efforçait de conserver un sang-froid monacal, mais la plupart du temps trouvait plus facile de l'éviter en se réfugiant dans les montagnes. Elle lui avait enregistré des cassettes de hip-hop – «Tu as des goûts musicaux *tellement* ringards, disait-elle» – qu'il gardait dans l'Airstream. Il avait lu la dissertation qui accompagnait sa demande d'inscription au collège et suggéré que le texte portait un peu trop sur ce qu'elle avait appris de Freddie. L'État du Nouveau-Mexique lui accorda une bourse d'études, toujours en section pom-pom girl, et elle rentrait tous les week-ends en ramenant des livres et des jouets pour Tee Jee qui l'aimait passionnément. Elle gagna la seconde place du concours Miss Jeunesse du Nouveau-Mexique lorsque Tee Jee avait trois ans et elle lui offrit son diadème. Tee Jee était fou de joie.

Un soir, alors que Lauren était en deuxième année, Jamie, Freddie et elle étaient assis sur les banquettes de l'Airstream et jouaient au rami de la mère d'Yvette. Il avait appris les règles à Lauren par un chaud après-midi alangui, une fois les devoirs de mathématiques finis. Ses tendances mesquines se réveillaient lorsqu'elle jouait aux cartes, elle adorait gagner. Pendant les parties de poker, elle bluffait, surenchérissait et prenait mille risques – tout le contraire du jeu prudent d'Abby – et pourtant il ne pouvait s'empêcher de songer à Abby en la regardant ranger ses cartes dans sa main. S'il l'observait du coin de l'œil, c'était Abby : la queue-de-cheval, la concentration intense. Tee Jee dormait à l'arrière.

Lauren avait appris à boire de la bière, au collège, bien qu'elle n'eût pas vingt et un ans, et il y avait sur la table des bouteilles de bière à moitié vides auxquelles Freddie n'avait pas touché. Il avait cessé de boire ; cela nuisait aux guérisons. Lauren portait une robe blanche, courte, avec le sigle de l'université du Nouveau-Mexique sur la poitrine, et Jamie n'en finissait pas de lui donner les cartes dont elle avait besoin pour gagner. Elle s'en emparait avec jubilation. Au cours de la partie, elle glissa sur la banquette jusqu'à ce que sa cuisse nue touche celle de Jamie.

Jamie mélangeait les cartes pour une nouvelle donne et essayait de rester concentré – il se disait que les leçons de Freddie allaient trouver une application pratique – quand il sentit les lèvres de Lauren effleurer son oreille. Il pensa à Abby dans l'océan lui disant que tout allait bien. Il pensa à Margot dans la décapotable de M. Tucker. Il pensa que les hommes étaient tous des salauds, lui compris. Comment ne pas l'être ? Les filles étaient… des filles. Le souffle tiède de Lauren lui caressa la nuque.

– Tu me laisses gagner, murmura-t-elle.

Jamie fit non de la tête.

— Je n'aime pas ça, dit-elle.

Il tourna la tête, la regarda ; le visage de Lauren était tout proche, elle dégageait l'odeur sucrée de la bière, comme Abby celle du champagne, autrefois.

— Jamais je ne ferais ça.

Lauren lui adressa un sourire malicieux.

— Parfait, dit-elle avant de reprendre sa place sur la banquette, ses seins ronds bondissant dans la robe blanche.

Freddie perdait, ce qui ne semblait pas l'affecter. Il avait l'air heureux. Quelque chose de froid se répandit dans l'estomac de Jamie, il se demanda si Freddie avait prévu d'unir son fils fraîchement apparu et sa Lauren adorée. Freddie répétait à longueur de journée que la réalité était une perception à accommoder selon sa convenance. Jamie revint à son jeu, cachant ses cartes de Lauren. Elle gagna honorablement la partie, leva ses bras bronzés au-dessus de sa tête en signe de victoire, les fit retomber sur les épaules de Jamie qu'elle embrassa sur le coin de la bouche.

Puis elle se leva pour prononcer un discours, brandissant une bouteille de bière vide en guise de trophée. Feignant des larmes de joie, elle dit :

— Je tiens à remercier mon cher grand-père, Frederick Tucker, pour son soutien constant. Et mon oncle Jamie chéri — sans les cartes que tu m'as données, jamais je n'aurais réussi.

Ils applaudirent, Jamie se sentait aussi ivre qu'elle, et Lauren salua en dévoilant son décolleté panoramique. Jamie pensa au fils d'Abby – son fils, aussi – endormi à l'arrière.

Freddie s'étira et bâilla.

– Reste si tu veux, Lauren, dit-il. Moi, je vais me coucher.

– On devrait tous en faire autant, dit Jamie, trop précipitamment.

Tandis qu'il les faisait sortir de l'Airstream, Lauren s'arrêta, comme si elle se rappelait quelque chose et tendit le visage vers Jamie pour qu'il l'embrasse. Il déposa un baiser sur sa joue chaude puis la saisit par les épaules et lui fit faire demi-tour en direction des marches métalliques.

Le lendemain matin, il frappait à la porte de Freddie et lui annonçait que le moment était venu de partir, pour lui.

31

Yvette rentrait d'une visite à une femme trop mal en point pour se rendre à l'église lorsque le téléphone sonna. On avait appliqué sur le bras droit paralysé de la femme des dizaines de dards d'abeilles, en guise de traitement, et elle avait réussi, ce jour-là, à lever le bras et remuer les doigts. Yvette pensait aux abeilles et aux voies de Dieu, si étranges. Au début, elle prit la sonnerie du téléphone pour le bourdonnement d'un essaim. Tirée de sa rêverie, elle entendit Jamie au bout du fil.

– J'aurais besoin d'un petit renseignement, dit Jamie.

– Dis-moi d'abord où tu es, dit Yvette. Où étais-tu passé?

– Quel était le nom de famille du père Jack?

Yvette chercha à retrouver un prêtre nommé Jack parmi les Anthony, les Joseph, et les John.

– Celui qui m'a appris la guitare, ajouta Jamie.

Yvette se rappela alors le jeune prêtre séduisant qui essuyait la vaisselle avec elle en prétendant que le célibat troublait l'esprit.

— Je ne crois pas avoir jamais su son nom, dit Yvette.

— Tu lui faisais des chèques, pour payer les cours.

Yvette pensa combien Teddy serait malheureux d'apprendre que Jamie voulait revoir le prêtre dont il s'était tellement méfié, plutôt que lui.

— C'est si loin, tout ça, dit-elle.

— Je n'ai presque plus de pièces, pour le téléphone.

— Et où es-tu, d'abord?! cria-t-elle.

— Donne-moi son nom.

— Ne raccroche pas, dit-elle en se ruant dans sa chambre sur le carnet d'adresses en lambeaux dont les pages tenaient à peine à la spirale. Elle n'effaçait jamais un nom, car elle n'avait jamais l'impression de perdre quelqu'un, qu'il soit mort ou parti au loin. Les prêtres y figuraient par leur prénom, elle le trouva à la lettre J: Père Jack Caffrey. Elle avait l'adresse du diocèse où il avait été envoyé et un vieux numéro de téléphone. Elle les transmit à Jamie.

— Merci, m'man, dit Jamie. Je suis dans une cabine téléphonique à Tucson. Tee Jee a quatre ans. Il est super. Il adore les concours de beauté et les femmes plus âgées — je veux dire plus âgées que lui. Ses mains sont encore trop petites pour la guitare mais il est excellent au chant.

— Où va-t-il aller à l'école? demanda Yvette. Il y eut un déclic dans le téléphone.

— C'est ma dernière pièce, dit Jamie. Je m'en occupe très bien. Je vais t'écrire, d'accord? Dis bonjour à tout le monde.

Une longue tonalité marqua la fin du coup de téléphone, Yvette raccrocha. Elle aurait voulu lui dire qu'elle comprenait, qu'elle avait vu que Tee Jee lui appartenait, dès la naissance, parce qu'elle avait aussi vu naître Jamie. Elle lui aurait dit qu'elle comprenait sa douleur et sa honte, et qu'il n'avait pas besoin de s'enfuir. Personne ne lui contesterait ses droits sur Tee Jee et personne ne lui ferait de reproches.

Lorsque Teddy rentra de ses visites à ses propres déshérités, il rapportait un rasoir électrique en panne appartenant à un vieil homme, qu'il étudia dans la lumière au-dessus de l'évier de la cuisine. Elle l'observa tandis qu'il dévissait le dessus de l'appareil et en examinait l'intérieur, les sourcils froncés, et elle lui dit que Jamie avait téléphoné et qu'il l'embrassait très fort. Teddy leva les yeux, stupéfait. Ce n'était pas l'exacte vérité, mais Teddy en fut de bonne humeur pour le reste de la soirée. Ils attendirent la lettre promise par Jamie, en vain.

32

Le collège Saint-François-Xavier s'élevait sur une colline offrant parfois – les jours où le brouillard ne montait pas de la baie – une vue sur le Pacifique. Dirigé par des jésuites vieillissants, il possédait une petite salle de théâtre où se jouaient les pièces du collège. Assis parmi le public, Tee Jee à ses côtés, Jamie attendait que s'illumine la scène.

Un adolescent chinois fluet et contemplatif incarnait Roméo. Juliette avait un petit visage et une voix claire. Jamie considéra qu'ils avaient eu raison de ne pas donner le rôle à la plus belle actrice, quelle qu'elle soit. En un certain sens, la banalité de cette Juliette la rendait émouvante ; elle aurait pu être n'importe quelle fille. Le frère Laurent, lorsqu'il apparut sur scène, n'était autre que le père Jack, le prêtre guitariste : vingt-six ans plus tard, en habit de moine, mais parfaitement reconnaissable. Ses cheveux grisonnaient autour des oreilles.

Tee Jee, captivé par la pièce, se mit debout sur son siège pour regarder par-dessus l'écran des têtes devant lui. La mort de Mercutio lui coupa le souffle. Le père Jack donna sa potion à Juliette, dupant tout le monde et transmettant son message trop tard. Roméo s'arrêta en chemin pour acheter du poison à un apothicaire encapuchonné qui avait aussi joué Tybalt. Les amants périrent dans le caveau, l'un après l'autre, et des larmes coulèrent sur le visage de Jamie. Les parents voulaient s'entretuer et leurs enfants, en cherchant à faire le contraire et à s'aimer, s'étaient donné la mort l'un l'autre.

Tee Jee, ravagé par l'inquiétude au sujet de Juliette et du poignard, chuchotait des questions à l'oreille de Jamie. Il applaudit de joie et de soulagement lorsqu'elle ressuscita au salut final.

— Elle est là, dit-il.

Les applaudissements les plus nourris furent pour le père Jack qui salua en souriant. Le vieux jésuite qui avait parlé de la pièce à Jamie, au téléphone, avait paru désapprouver la présence du père Jack dans la pièce.

Les lumières se rallumèrent, parents et élèves quittèrent la salle de théâtre en file indienne.

— Je suppose qu'on doit aller dans les coulisses, dit Jamie.

— Elle sera là, la fille? Tee Jee voulait savoir.

Les loges côtoyaient la réserve des décors ; il y avait des taches de peinture par terre et des panneaux de décors empilés contre le mur. Jamie se rappela avoir embrassé Gail au collège, dans le chariot de western avec sa bâche à franges. Trois filles attendaient Mercutio, un grand type vint à la rencontre de Juliette et la serra dans ses bras tandis que Tee Jee la dévorait des yeux. Finalement, le père Jack parut et se lava le visage dans le grand lavabo. Il avait des traînées d'eye-liner sous les yeux lorsque Jamie s'approcha de lui, mal à l'aise.

— Vous avez été remarquable, dit-il.

Le prêtre le regarda par-dessus la serviette en papier qu'il tenait contre sa joue.

— Merci, dit-il.

— C'est formidable que votre ordre vous autorise à faire ça.

— Oui, c'est vrai.

— Mon fils – il a quatre ans – a adoré. Il était complètement transfiguré.

Jamie se demanda s'il avait déjà utilisé ce mot auparavant, *transfiguré*, et pourquoi il n'arrivait pas à être simple et direct.

— C'est très gentil, dit le prêtre.

— Vous m'avez appris la guitare, lâcha finalement Jamie. À Hermosa Beach, quand j'avais douze ans. Ça a changé ma vie.

Le père Jack le regarda, et dit :
— Vous m'attendez ? J'en ai pour une minute.
Il disparut dans la loge.

Juliette s'en alla en jean, accompagnée du grand type, suivie des yeux par Tee Jee plein de nostalgie. Puis le père Jack sortit, lui aussi en jean.

— Donc, tu es Jamie devenu grand, dit-il. Alors, où va-t-on fêter les retrouvailles ?

Le petit café était lumineux et déserté par les étudiants. Dans le fond, un couple se partageait une part de gâteau. La serveuse apporta du papier et des crayons pour Tee Jee qu'elle installa dans un box tandis que Jamie et le père Jack prenaient une table.

— Dis-moi tout. Je te dispense du «Bénissez-moi, mon père», dit le père Jack.

Et Jamie se mit à raconter comment il était rentré d'Hawaii et de la Louisiane, cet été-là, sentant qu'il n'accrochait pas vraiment avec ses sœurs, pour découvrir que les cours de guitare, la seule chose qui le rendait heureux, étaient terminés. Il parla de sa mère découvrant le magazine, du départ de Gail, et des années de déprime qui avaient suivi. Il s'assura que Tee Jee n'écoutait pas et expliqua à voix basse qu'il s'était occupé d'Abby au moment du divorce de Clarissa, qu'il adorait Abby et avait commis l'erreur de coucher avec elle à l'âge adulte.

C'était comme si rien ne pouvait l'en empêcher, alors, et il savait maintenant qu'il n'aurait pas dû agir ainsi. Il parla de la mort d'Abby qui le laissait seul avec l'enfant, ce qui lui avait semblé insurmontable. Il dit que Margot était sa véritable mère, qu'elle était restée enfermée dans sa chambre lorsqu'il lui avait rendu visite, et qu'au bout du compte, il avait trouvé Freddie Tucker. Enfin, il évoqua Lauren, différente d'Abby sans vraiment l'être, et le sentiment qu'il avait eu, ce soir-là en jouant aux cartes, que l'histoire se répétait bizarrement, comme dans un rêve, avec cette fille, en quelque sorte sa nièce, et ce, sous les yeux de M. Tucker, le professeur de danse.

— Et tu voudrais l'avis d'un célibataire, dit le père Jack quand Jamie eut terminé.

Jamie rougit et haussa les épaules.

— Franchement, c'est absurde comme idée, non? demanda le prêtre. Cela m'a toujours frappé. Enfin, j'imagine que nous sommes censés être plus objectifs.

Il soupira et se frotta le front.

— Ta mère, dit-il, je veux dire, Yvette, était une femme fascinante. À la fois très pieuse et irradiant la sensualité. On aurait cru qu'elle avait une liaison illicite avec Dieu.

Cette description mit Jamie mal à l'aise.

— Bon, dit-il.

— J'ai cru que nous aurions une liaison, cet été-là, mais cela ne s'est pas passé.

– Vous êtes prêtre.

Le père Jack lui lança un regard fatigué.

– Cette histoire avec Lauren aurait été une erreur, dit le prêtre. La farce d'une tragédie qui se reproduit. Tu as bien fait de partir.

– Je ne sais pas où aller.

– Qu'est-ce que tu veux ?

– Je veux… je n'en sais rien, dit Jamie. Une vie normale. Peut-être une maison. Je veux que Tee Jee aille à l'école. Vivre dans un camping-car, sans mère, ça va devenir étrange, pour lui.

– Il fallait y penser avant, dit le père Jack. Il a quatre ans, ce garçon.

– Il est heureux, dit Jamie.

– Bien sûr, qu'il est heureux. C'est une vie formidable.

Ce fut au tour de Jamie de soupirer. Dans le box, Tee Jee flirtait avec la serveuse qui lui avait apporté des crayons.

– Tu veux mon avis ? demanda le prêtre.

– Je ne sais pas, dit Jamie essayant de plaisanter. Quand je vois ce qui arrive aux deux gamins dans la pièce.

Le père Jack sourit.

– Mais ils n'ont pas suivi mes instructions, dit-il. Contrairement à toi.

33

Gail vivait sur Vashon Island, au milieu du Puget Sound, parfaitement heureuse dans sa vie imparfaite lorsqu'un camping-car gris métallisé poussiéreux se gara devant sa maison. Elle désherbait les jardinières et ne reconnut pas tout de suite Jamie. Il descendit de l'Airstream avec un petit garçon coiffé d'un diadème et elle les prit pour des amis du couple gay qui habitait la maison voisine. Pourtant, dans sa manière de la regarder – cet échalas débraillé chaussé de bottes de cow-boy qui avait besoin de se raser et de se couper les cheveux –, il déclencha une perturbation dans sa cage thoracique, un besoin de se souvenir.

– Salut, dit-elle en bonne voisine serviable. Vous cherchez Bill et Bill?

Ce n'était pas le cas, naturellement. Jamie continua à la dévisager, trop intimidé pour ouvrir la bouche, jusqu'à ce qu'elle reconnaisse le garçon d'autrefois, par-delà la barbe de plusieurs jours et les années. Elle ne sut pas qui bougea en premier, bien que ce fût vraisemblablement elle qui couvrit la distance puisqu'ils se retrouvèrent soudain en bas des marches. Jamie l'entoura de ses bras, le visage enfoui dans ses cheveux, et il la leva du sol. Il ne sentait pas très bon, l'odeur de celui qui arrive d'un long voyage sur les routes. Elle se dit qu'il fallait être sur ses gardes, que les gens n'ont pas à réapparaître d'un coup, sortis du néant, mais elle était habituée à se dire des choses qu'elle n'écoutait pas.

À sa mort, sa tante lui avait laissé la maison. Une bâtisse en bois sur deux niveaux qui craquait lorsqu'il y avait du vent au point que Gail avait parfois l'impression que sa tante y habitait toujours et se déplaçait au-dessus de sa tête. Partout, il y avait des sculptures de Gail, des formes abstraites sur les étagères, les tables basses, à même le sol. Une de ses premières tentatives de moulage en bronze était devenue un banc sur lequel s'entassaient des journaux. Jamie avança dans le salon, regardant les sculptures.

— Tu veux un café? demanda-t-elle. Ou une bière?

— Qu'est-ce que c'est? dit-il.

Gail expliqua qu'elle travaillait des matériaux plus légers, désormais, qu'elle avait trouvé le bronze plutôt contraignant, puis sa voix mourut. Elle avait trente-huit ans. Elle avait une carrière; des galeries l'exposaient, on lui passait des commandes ; elle avait connu beaucoup d'hommes et s'était juré qu'aucun, désormais, ne parviendrait à la troubler – alors, pourquoi avait-elle tant de mal à parler ?

– C'est très beau, dit Jamie.

Gênée, elle s'enfuit préparer un café et proposa au petit garçon de Jamie du gâteau aux carottes. Elle l'installa sur une chaise à la table de la cuisine, devant une part de gâteau, et il eut rapidement le menton tartiné de fromage blanc.

– J'aime beaucoup ta couronne, dit-elle.

– C'est un diadème, dit Tee Jee. C'est Lauren qui l'a gagné.

– Qui est Lauren ?

Le menton au fromage blanc pendant de stupeur, l'enfant ne parvenait pas à croire qu'on puisse ne pas connaître Lauren.

– Lauren, dit Jamie, est la petite-fille adoptive de mon père biologique. Pas adoptée au niveau légal. Mais c'est comme cela qu'ils s'appellent.

– La petite-fille de Teddy ?

– De Freddie.

Gail secoua la tête, essayant d'y voir clair.

– Tu ferais bien de recommencer depuis le début.

Ce qu'il fit, avec Gail également. C'était comme si après avoir fait tout ce qui leur passait par la tête au collège, ils en étaient arrivés, vingt et un ans plus tard, à une situation où la simplicité suffisait – où se tenir par la main semblait extraordinaire, et embrasser Jamie sur le front dans la cuisine suffisant pour déclencher un désir vertigineux. Sur le lit dans lequel elle avait dormi seule, dans la chambre d'angle à l'étage, avec ses fenêtres où se pressaient les feuilles des arbres et se croisaient les brises, ils accomplissaient les gestes les plus simples comme s'ils transportaient un verre d'eau plein à ras bord au risque de le renverser. Elle était souvent éblouie à cette seule pensée : c'est Jamie. Il est là, avec moi, en train de faire l'amour avec moi. Il est revenu.

Elle installa Tee Jee dans la chambre au bout du couloir : la chambre qui avait été la sienne à dix-huit ans, à l'époque où elle était venue habiter chez sa tante, et plus tard, pendant les dernières années de la vie de sa tante. La pièce semblait pleine de sa propre tristesse, lorsqu'elle l'ouvrit, et elle accrocha au plafond des bandes de tulle multicolores. Le tulle voltigeait dans les courants d'air de la fenêtre et Tee Jee attrapait les bandes puis les relâchait en riant. Il traversait la pièce les bras écartés, le tulle se tendait sur ses bras et il se retournait pour voir s'il était bien retombé derrière lui.

Bill et Bill, les voisins, étaient sous le charme de Jamie, Tee Jee et l'Airstream. Il leur était arrivé de crier et de se lancer des bouteilles à la tête le soir dans la cuisine, et de venir avec des muffins, le lendemain matin, en s'excusant. Mais ils avaient maintenant un comportement exemplaire. Ils assuraient le baby-sitting et cuisaient des muffins à tout bout de champ, et ils fournirent un emploi à Jamie dès que Gail évoqua la question. Le plus âgé des Bill dirigeait une entreprise de décoration d'intérieur et Jamie peignait des murs et posait des moquettes pour lui à Seattle. Des femmes chez qui il peignait lui avaient recommandé une école maternelle et il emmenait Tee Jee à l'école tous les matins en ferry, puis travaillait sur le continent jusqu'au moment d'aller le rechercher, l'après-midi.

Gail recommença à cuisiner, au lieu de manger du thon à la mayonnaise à même la boîte avec une fourchette, et elle achetait des légumes primeurs à des fermiers Mung qui avaient monté une petite exploitation sur un terrain abandonné. La semaine, elle travaillait le matin dans son atelier et faisait des courses l'après-midi avant le dîner. Jamie s'était remis à écrire des chansons, de vraies chansons qui avaient un début et une fin, et des paroles d'un bout à l'autre. Intimidé, il les chantait seulement à Gail, le soir dans leur chambre.

Tee Jee était un petit garçon calme et attentif, très intéressé par les jolies femmes. À la maternelle, il tomba amoureux de sa jeune institutrice, Mme Sims. L'année suivante, il entra en primaire chez la non moins envoûtante Mlle Leon, et Jamie restait, et Gail ne voulait pas qu'il parte. Parfois, tandis qu'elle marchait avec Tee Jee dans le supermarché, ou seule dans les bois, elle s'émerveillait de sa chance. Elle adressait des remerciements au monde en général, à Dieu, au destin, au karma et au père Jack puis elle rentrait et remerciait Jamie, aussi.

34

L'arrière-grand-mère de Tee Jee était catholique. Son arrière-grand-père était un héros de la guerre. Son grand-père avait une case en moins et était guérisseur. Sa grand-mère vivait avec une femme. Sa mère était morte.

Il avait appris ces choses à force de poser des questions. Pendant un certain temps, il s'était abstenu d'en poser parce qu'il ignorait que les autres enfants connaissaient leur famille et vivaient dans des maisons et non dans des camping-cars. Puis il était entré en maternelle où les enfants parlaient de l'âge de leurs frères et de leurs sœurs, du métier de leurs parents. Tee Jee n'avait ni frère ni sœur ; il savait seulement que son père travaillait pour les Bill et que sa mère était morte. Ce qui lui conférait un certain statut, à l'école, tout en le rendant nerveux.

— Je ne veux pas que tu meures, dit-il à son père, un jour qu'ils quittaient la maison en voiture.

— Je ne vais pas mourir, dit son père.

— Jamais.

— Enfin, dit son père, pas avant que tu sois une grande personne.

Tee Jee médita la chose pendant qu'il jouait au base-ball avec son père dans le jardin, pendant le dîner, et le soir, dans son lit, en louchant sur le côté en direction de la porte pour brouiller la ligne lumineuse échappée du couloir, comme s'il pleurait, même si ce n'était pas le cas. Il fit des rêves atroces, cette nuit-là, l'écorce de la terre s'ouvrait sous ses pieds, et il courait pour ne pas tomber au fond d'un trou noir dans le sol, et un nouveau trou s'ouvrait à chacun de ses pas. Il ignorait ce qui se trouvait en dessous mais il savait que c'était mauvais et il courait.

Le lendemain, Gail avait des courses à faire et ce fut elle qui le conduisit à l'école. Debout sur le pont du ferry, ils fixèrent l'eau bleue jusqu'à en avoir le tournis puis le bateau accosta. Ils regagnèrent la voiture et attendirent le départ des autres véhicules.

— Je ne veux pas grandir, lui confia-t-il.

— Je crains que tu n'aies pas le choix, mon lapin, dit-elle.

Le sac en papier qui contenait son déjeuner crissait sur ses genoux et Tee Jee tâta la nourriture à l'intérieur. S'il ne mangeait plus rien et s'il ne dormait pas la nuit, il ne grandirait pas.

Il testa cette théorie sur Gail tandis qu'ils pénétraient en ville.

– Je crois que tu grandiras quand même, simplement tu auras faim et tu seras fatigué, répondit Gail. Pourquoi tu ne veux pas grandir?

– Je n'ai pas envie, dit-il.

Gail se tut, ils franchirent un feu vert, puis un feu orange. Puis elle demanda:

– C'est à cause de ce que ton père t'a dit? Qu'il ne mourrait pas avant que tu sois grand?

Tee Jee était surpris.

– Comment tu sais ce qu'il m'a dit?

– Il m'en a parlé, dit-elle.

Tee Jee ne savait pas comment prendre la chose.

– Voilà ce qui va se passer, expliqua Gail, et Tee Jee attendit. D'abord, tu vas devenir adulte, et rester adulte très longtemps. Quand tu auras été adulte pendant beaucoup, beaucoup d'années, lui, il sera très vieux et il mourra.

Tee Jee laissa échapper la respiration qu'il retenait et réfléchit.

– Est-ce qu'il est au courant? demanda-t-il.

– Oui, dit-elle.

– Je ne crois pas.

– Il le sait parfaitement.

– Tu lui diras?

– Oui.

– Tu n'oublieras pas ?

– Je te promets, dit-elle.

Ils étaient arrivés sur l'esplanade devant l'école et il devait rejoindre la classe de Mme Sims. À l'heure du déjeuner – un sandwich au pain complet avec du saucisson fumé, une pomme, un paquet de chips et une brique de jus de raisin –, il dévora tout, affamé.

À l'école primaire, les enfants de sa classe parlaient de leurs grands-parents, de l'endroit où ils habitaient, de l'argent qu'ils possédaient et Tee Jee voulut savoir si ses grands-parents (hormis Freddie) étaient riches. Non, répondit Jamie, ils étaient à l'aise, sans plus, et n'accordaient pas d'importance au fait d'être riche. Lorsque Tee Jee lui demanda pourquoi c'était sans importance, son père répondit qu'ils croyaient au chameau et au royaume des cieux, et lui raconta l'histoire.

Tee Jee médita cela comme il méditait sur tout. Les gens disaient qu'il était parfois dans la lune, alors qu'en réalité il réfléchissait aux choses dans le moindre détail. Il aurait aimé ressembler aux autres enfants de l'école, jouer et être heureux à longueur de journée, mais arrêter de penser n'était pas toujours possible. Mlle Leon avait trouvé qu'il posait beaucoup de questions, alors Tee Jee s'était efforcé de ne pas chercher à tout savoir. Les enfants de l'école – à part Gurpreet, qui était hindou, Leyla, dont le père était musulman, et Allen, dont la mère avait été Rajneeshee dans l'Oregon et n'aimait pas en parler – considéraient que Jésus était le fils de Dieu. Ils s'accordaient pour dire qu'on allait au ciel en mourant, que le père Noël existait, mais que les cloches de Pâques et la petite souris, c'étaient les parents. Les rares opinions divergentes au sujet du père Noël avaient été pour la plupart réduites au silence. À la question de savoir qui avait raison, et qu'est-ce qui existait réellement, le père de Tee Jee avait expliqué que les croyances variaient selon les gens et qu'il pourrait choisir de croire ce qu'il voulait. La réponse était loin d'être satisfaisante. Il décida de ruser avec son père. Après avoir attendu quelques jours, il lança :

– Si je te pose une question, tu me jures de dire la vérité ?

Son père répondit oui.

– Si tu ne me dis pas la vérité, ce sera un mensonge.

Son père répéta qu'il dirait la vérité.

– Est-ce que Dieu existe ?

Son père soupira.

– Je n'en sais rien, Teej, dit-il. Je ne pense pas.

Il lui parla de la théorie de l'évolution, expliquant que chaque chose sur terre résultait de la nécessité de survivre.

La réponse n'était guère tranchée et Tee Jee estima qu'il avait droit à une autre question.

— Tu me promets de dire encore la vérité? demanda-t-il.

— Si je la connais.

— Et le père Noël?

— Le père Noël, ce sont les parents, avoua son père. Enfin, tu ferais mieux de ne pas le raconter à tes copains, à l'école.

— Et si je leur ai promis?

— Alors, c'est à toi de décider, dit son père.

Le lendemain, Tee Jee arriva à l'école excité et anxieux, mais les enfants parlaient de base-ball et d'un nouveau jeu vidéo et le sujet ne fut pas évoqué.

Ce printemps-là, un homme armé d'un couteau obligea une fille du cours moyen à monter dans son camion. Tee Jee ne savait pas exactement ce que cela signifiait, mais lorsque la fille revint à l'école, quelqu'un la lui désigna. Il la voyait parfois dans la cour de récréation; une fille silencieuse avec des nattes. Il pensait beaucoup au couteau, se demandant à quoi il ressemblait et ce qu'il ferait si quelqu'un le forçait à monter dans un camion, un couteau à la main. Les garçons de l'école prétendaient que cela n'arrivait qu'aux filles, mais il n'en était pas convaincu. Il se disait qu'il partirait en courant, très vite, sans être certain de pouvoir s'échapper.

Mlle Leon affirmait que les animaux et les plantes avaient tous une fonction sur terre, qu'ils vivaient en équilibre dans la nature et qu'il fallait, par conséquent, éviter de polluer les océans et de gaspiller le papier. Tee Jee demanda quelle était la fonction des gens sur terre et quelqu'un répondit qu'ils étaient là pour jeter des cochonneries dans l'eau et couper des arbres, ce qui fit rire toute la classe. Tee Jee insista, disant qu'il voulait vraiment savoir. Mlle Leon lui lança un regard angoissé et s'octroya une minute de méditation en se retirant dans le vestiaire. Cela se passait après l'épisode de la fille enlevée dans le camion, une période pendant laquelle Mlle Leon s'était souvent réfugiée dans le vestiaire.

Tee Jee comprit que les gens n'avaient aucune raison d'être et que Mlle Leon était trop triste pour arriver à le formuler. À l'école, il garda l'information pour lui. Mais un soir, lors d'un pique-nique dans le jardin des Bill, des guêpes vinrent bourdonner autour de son assiette. Gail les chassa de la main pour lui éviter de se faire piquer.

— Est-ce que les guêpes servent à quelque chose? demanda-t-il.

Il pensait avoir peut-être trouvé autre chose n'ayant aucune fonction.

— J'imagine qu'elles servent à la pollinisation de certaines plantes, dit Gail.

— Absolument, dit le Bill à cheveux gris, en ôtant du

grill un hamburger. Elles se nourrissent du nectar des fleurs. Elles s'en prennent à la viande seulement pour alimenter les larves.

— Donc, elles aident les fleurs à se reproduire, dit Gail. Elles participent sans doute aussi à la décomposition des animaux morts. Mon Dieu, elles sont folles de ces hamburgers.

Elle les chassa à nouveau de l'assiette de Tee Jee.

— Alors, dit Tee Jee, il n'y a que les gens qui ne servent à rien ?

Le Bill à cheveux bruns éclata de rire.

— Exactement ! dit-il.

Gail enlaça Tee Jee installé sur le banc à côté d'elle.

— Nous sommes là pour nous aimer les uns les autres.

Tee Jee regarda son père qui buvait tranquillement une bière, assis sur un siège de jardin.

— C'est vrai ? demanda-t-il.

— J'imagine, dit son père.

— Va raconter ça aux Serbes, dit le Bill à cheveux gris.

— Bill, voyons, il a six ans, dit Gail.

— Et moi, bientôt soixante-trois.

À l'école, des enfants jouaient aux Serbes, et Tee Jee avait entendu parler d'eux. Les Serbes étaient les mauvais, pensait-il, mais c'était comme dans tous les jeux : vous formiez des équipes, vous vous tiriez dessus et puis plus personne ne savait qui étaient les méchants. Il ne mentionna pas le jeu car il ignorait comment réagiraient les adultes. Ils ne seraient peut-être pas d'accord, ou bien ils riraient, et lui ne voulait ni l'un ni l'autre. Gail disait que la raison d'être des gens était de s'aimer les uns les autres. Et s'il n'y avait personne sur terre, ils n'auraient pas besoin d'être aimés d'autres gens. Alors, est-ce que cela comptait, comme objectif? Il n'était pas sûr.

35

Maintenant que son fils vivait dans une maison, qu'il était entré à l'école primaire et acquerrait un bagage social au-delà d'une aptitude à comprendre les blagues de Jamie, celui-ci estima que le moment était venu de dire à sa famille où il se trouvait. Il était persuadé qu'au premier coup de fil à ses parents, Yvette insisterait pour leur rendre visite. Au lieu de quoi elle lui annonça son départ pour Rome, avec Teddy. Elle dit à Jamie combien elle était heureuse d'avoir de ses nouvelles et promit de le rappeler à leur retour. Ils partaient avec un groupe de paroissiens. Elle lui annonça d'une voix électrisée que le pape allait peut-être lui accorder une audience, en dépit des nombreuses demandes, à l'approche du millenium.

— Elle va revenir avec des pouvoirs surnaturels, dit Jamie à Gail, allongé avec elle dans le noir.

Depuis le coup de téléphone, il attendait de lui en parler — le temps du dîner, d'une longue partie de Go Fish et d'une histoire pour endormir Tee Jee où il était question du voyage d'un ours à la recherche de la grotte spéciale abritant son excellence le roi des ours cracra.

— Elle va se faire béatifier, dit-il, les yeux rivés au plafond. Elle s'adresse déjà à Dieu comme je te parle.

— Nous allons devoir l'appeler sainte Yvette?

— On dirait qu'elle n'a jamais entendu parler de la science.

— La science ne change peut-être rien à sa croyance.

— Qu'est-ce qu'il faudrait faire, alors?

— Hum, dit Gail.

Il sentait qu'elle souriait, dans le noir.

— Eh bien, que Jésus s'explique.

Jamie roula vers elle.

— D'accord! dit-il. Il annonce qu'il s'excuse pour le malentendu, qu'il n'était jamais qu'un homme accompagné de quelques copains enthousiastes.

— Revenir après deux mille ans, ça risquerait de lui poser quelques problèmes.

— Nous allons résoudre cette question, dit Jamie. Il devra être très clair, sur son côté humain, finies les paraboles ambiguës. Il faudra qu'il dise: «Je vais faire un gros caca, peuple de la terre, et puis je vais être obligé de m'essuyer le derrière. Et si j'avais des pouvoirs magiques, franchement, est-ce que je n'aurais pas supprimé cette partie du boulot?»

Gail rit; il aimait la faire rire.

— C'est son sacrifice, devenir un être de chair, dit-elle.

— «Pour ceux qui ne seraient pas convaincus, poursuivit-il de sa voix de Jésus, je vais me branler un coup. Remarquez que ça ne se fait pas tout seul. Sans les mains, il n'y a pas moyen.»

— Personne ne croira que c'est lui, dit-elle. Ce n'est pas dans les manières de Jésus. C'est du pur Jamie.

— Tu veux dire qu'il y a une différence?

— Dieu merci.

— Blasphématrice.

— C'est *moi*, la blasphématrice? dit-elle.

Dehors, les arbres secoués par le vent projetaient des ombres au plafond, dans la lumière des réverbères. Il allait pleuvoir. Gail se tut, il sentait qu'elle réfléchissait.

— Je garde l'impression que quelqu'un contrôle les choses, dit-elle, l'impression que quelqu'un sait ce que nous faisons. J'ai beaucoup de mal à ne pas le croire.

Abby disait la même chose. Mais parler d'Abby restait difficile, même avec Gail, qui le comprenait parfaitement.

— Si ça te fait du bien, dit Jamie.

— Je suis sérieuse.

— Moi aussi, dit-il.

Il sentait poindre de la tristesse et il ajouta:

— La moitié de mes gènes viennent d'un homme capable de passer à travers les murs. Je suis un croyant naturel.

— Tu ne crois pas qu'on puisse traverser les murs.

— J'ai beaucoup de mal à ne pas le croire.

Elle rit.

— Tu détournes ma phrase de son contexte.

— Moi?

— Oui, toi, dit-elle.

Il l'embrassa.

— Répète.

— Toi.

— Qui est-ce que tu aimes?

— Toi, dit-elle.

— Plus que n'importe qui d'autre?

— Oui.

Et il n'y eut plus qu'eux deux dans le noir, la pluie tombait derrière les fenêtres, et la famille de Jamie ne comptait pas, n'en déplaise à Freud. L'espace d'un instant, Gail lui avait fait sentir que tout tenait ensemble, que personne n'avait jamais été autant aimé que lui.

Mais elle s'endormit à côté de lui et le monde réintégra la chambre, et aussi la tête de Jamie, et il eut honte de ses plaisanteries sur Dieu. Dehors il pleuvait et Jamie, qui ne dormait pas, se demanda pourquoi il était triste que sa mère ne vienne pas alors qu'il ne souhaitait pas vraiment cette visite.

36

Quand Jamie eut raccroché le téléphone, Yvette comprit qu'elle devait aller le voir. Sur le moment, elle ne s'en était pas rendu compte, tant elle était absorbée par le pèlerinage. Elle en parla au père Carrington, le responsable du groupe, lui expliqua qu'elle raterait une partie des préparatifs en allant voir Jamie. Ils priaient et étudiaient depuis des semaines, mais il restait encore beaucoup à faire. Le père Carrington affirma que cette visite à son fils était importante, qu'elle ferait partie de sa préparation personnelle.

Teddy, qui reprochait toujours à Jamie d'avoir disparu si longtemps, refusa de l'accompagner. Lorsque Yvette fit allusion au fils prodigue, Teddy répondit : « Le père n'a pas dû prendre l'avion jusqu'à Seattle pour retrouver le fils prodigue. »

Yvette arriva donc seule un samedi pendant que Jamie travaillait et Gail la fit entrer dans la cuisine où Tee Jee dessinait, assis à table. Gail était beaucoup plus jolie, maintenant qu'elle était adulte. Les cheveux simplement tirés en arrière, elle portait une chemise de flanelle appartenant sans doute à Jamie et un jean, cela dit tant de femmes s'habillaient ainsi, désormais.

À six ans, Tee Jee ressemblait vaguement à Abby, mais on aurait surtout cru que Jamie s'était greffé lui-même, à la manière d'un poirier. Même regard noir, sérieux, même visage. Impossible de croire que cela ne sautait pas aux yeux de tous. Sachant que Gail devait être au courant, elle faillit dire quelque chose. Toutefois, Yvette avait déjà eu cette conversation avec Dieu. Elle ne ressentait pas le besoin de l'avoir avec personne d'autre.

— Je suis ta mamy Yvette, dit-elle à Tee Jee. Tu es devenu un grand garçon.

Tee Jee tenait son crayon serré dans ses deux poings, sur la table, et il lança à Gail un regard incertain.

— Pas de panique, mon petit lapin, dit Gail. Elle vient te rendre visite, tu te souviens ?

— Pour quoi faire ? demanda Tee Jee.

— Parce qu'elle t'aime.

Tee Jee étudia Yvette avec une franche curiosité.

— Elle me connaît ?

Gail sourit à Yvette, lui laissa le soin de répondre.

— Je sais tout de toi, dit Yvette. J'ai des photos de toi

depuis que tu es bébé. Je connaissais ta mère, c'était ma petite-fille.

Elle éprouva une vive bouffée de chagrin, à la pensée d'Abby.

— Elle est morte, murmura Tee Jee.

— Je sais, mon chéri, dit Yvette. Elle t'aimait tellement, et elle t'aime toujours. Elle te voit, là-haut, dans le ciel.

Une expression qu'Yvette n'aurait pu définir passa sur le visage de Gail.

— C'est ce que dit Brandon, à l'école, dit Tee Jee. Mais on n'est pas sûrs.

— Si, c'est vrai, dit Yvette.

Jamie apparut alors sur le pas de la porte et Yvette ne s'attendait pas à être aussi heureuse de le voir. Elle l'embrassa à n'en plus finir, serra sa tête entre ses mains.

— Je suis désolée que Teddy ne soit pas venu, dit-elle.

— Il ne supporte pas le concubinage, c'est ça?

— Oh, Jamie, dit-elle, même si ce n'était pas totalement faux.

— Il lui reste deux mois pour être en phase avec le vingtième siècle, après ce sera trop tard.

— Il croit en certaines choses, commença Yvette.

— Clarissa m'a dit qu'il flippait parce qu'elle vit avec une femme.

— Ça me fait tellement plaisir que tu aies parlé à Clarissa.

— Bon, tu as annoncé que tu partais pour le Vatican, dit-il, et du coup, je ne me suis occupé de rien. Alors, où va-t-on manger? J'imagine que tu ne te contenteras pas de spaghettis.

Yvette se laissait taquiner. Le garçon qu'il avait été n'avait pas changé, sauf qu'il semblait plus heureux, le visage débarrassé de cette expression sombre, tourmentée. Ils optèrent pour la cuisine mexicaine, dont raffolait Yvette, et Jamie la fit tellement rire qu'elle en pleurait.

À la maison, Tee Jee accepta qu'elle le mette au lit, ce qu'elle fit tous les soirs de la semaine. Elle lui apprit à dire le Notre Père avant de se coucher, et il retint facilement la prière. Elle lui expliqua que sa mère avait rencontré Dieu grâce à lui, ce qui faisait de lui un être spécial, particulièrement aimé de Jésus, et qu'Abby avait dû plaire terriblement à Dieu pour qu'Il la rappelle si jeune. Mais tandis qu'ils priaient ensemble pour sa mère au ciel, il dit:

— Comment est-ce qu'on *sait* qu'elle est là?

— Grâce à la foi, dit Yvette. Dieu veut que l'on croie même si nous ne savons pas, simplement parce que nous avons confiance en Lui.

— Est-ce que les gens servent à quelque chose?

— Évidemment, dit-elle. Notre but est d'aimer Dieu.

— Est-ce qu'Il aime les Serbes et les gens avec des couteaux?

– Oui, dit-elle. Il espère qu'ils Le trouveront et qu'ils seront pardonnés.

– Et s'ils font quelque chose de trop vilain pour être pardonnés?

– Rien n'est mauvais à ce point-là, dit Yvette. S'ils regrettent sincèrement.

– Tu as déjà fait des choses affreuses?

– Bien sûr, dit-elle.

– Comme quoi?

– J'ai tout raconté à Dieu, dit-elle, alors, ce n'est plus affreux.

– Est-ce qu'Il va me prendre dans le ciel parce que je Lui plais?

– Non, mon cœur, dit-elle. Pas encore. Il veut d'abord que tu deviennes grand.

Au bout d'une semaine, elle sentit qu'elle l'avait rallié, sinon à Dieu, du moins à elle-même, ce qui constituait un bon début. À côté de ses résistances, héritées de Jamie, il avait un penchant pour Dieu. C'était un petit garçon tellement réfléchi et contemplatif. Il aimait trop les femmes pour devenir prêtre, mais il en avait la tournure d'esprit. À l'école aussi, ses jeunes institutrices l'adoraient.

– Je ne suis pas comme les autres enfants, lui confia-t-il tandis qu'elle le mettait au lit, la veille de son départ. Parfois, je dois penser plus fort.

– C'est très bien, dit-elle. C'est très bien, de penser profondément.

– Ils ont tous des grands-mères, dit-il. Je n'avais jamais eu de grand-mère, avant.

– Pourtant, je suis là, dit-elle. Et pour toujours.

Il la regarda, dubitatif.

– Tu as quel âge ? demanda-t-il.

Elle rit.

– Soixante-seize ans, dit-elle. Mais je me sens en pleine forme.

– Et si tu meurs ?

– Je te regarderai, depuis le ciel.

Il plissa un instant le front, sans toutefois lui demander comment elle le savait.

– Pourquoi tu n'étais jamais venue ?

– J'ignorais où tu habitais, dit-elle. Ton père pensait que c'était important pour vous deux, de vivre à l'écart.

– Tu dois vraiment aller à Rome ?

– Je serai vite de retour, dit-elle.

Elle lui raconta comment le petit Teddy Kennedy, dont le frère était devenu Président, s'était rendu à Rome à l'âge de Tee Jee pour y faire sa première communion avec la bénédiction du pape. Elle l'avait lu dans des journaux catholiques quand elle était encore jeune fille au collège. Tee Jee voulut savoir s'il s'agissait du Président assassiné, ce qu'elle confirma. Puis il voulut savoir si

Yvette était jolie quand elle était jeune fille au collège, et elle lui dit, dans un éclat de rire, qu'elle n'en savait rien. Finalement, il l'interrogea au sujet de la première communion, et elle lui décrivit l'eucharistie, à quel point c'était merveilleux.

Le séjour d'Yvette prenait fin le lendemain, un dimanche, et elle demanda la permission d'emmener Tee Jee à la messe. Gail dit à Jamie qu'elle avait envie d'y aller, par curiosité, et Jamie leva les yeux au ciel mais il les accompagna. Yvette exultait. Elle les conduisit vers un banc de l'église, installa Tee Jee à sa droite et Jamie et Gail à côté de lui. Gail portait un beau foulard vert. Même l'absence d'une alliance, qui aurait pourtant joliment complété le tableau, n'entamait pas la joie d'Yvette.

Sous ses habits, le prêtre était un homme corpulent, au visage rubicond, avec des cheveux blancs et de petites lunettes rondes.

— C'est un plaisir de voir quelques nouveaux visages, aujourd'hui, dit-il en commençant son sermon et Yvette se sentit fière. Je me suis penché sur la nature de la foi, poursuivit-il. Les intellectuels se plaisent à nous répéter que des crimes atroces ont été commis au nom de l'Église catholique. Ils nous rappellent les exactions commises pendant les croisades ou l'Inquisition. Et ce furent, en effet, des moments terribles.

Tee Jee s'agitait sur son siège et Yvette espéra qu'il se

tiendrait tranquille. Lorsque Abby avait trois ans, Yvette l'avait emmenée avec Clarissa et Henry écouter *Le Messie* de Haendel et Abby avait piqué une crise dans l'église. Henry avait dû la transporter tout le long de la nef tandis qu'elle hurlait par-dessus la musique: «Papa me fait du mal!»

— Mais il m'est venu à l'esprit, continua le prêtre, à l'heure où ce siècle troublé s'achève, que ces gens, ceux de l'Inquisition, avaient la foi. Voilà des hommes et des femmes, dit-il en accélérant le rythme, qui croyaient en Dieu avec une force et un acharnement tels qu'ils considéraient que ceux qui ne partageaient pas leur croyance méritaient la mort. Et cela, c'est la foi.

— Oh, mon Dieu, marmonna Jamie.

Yvette chercha sur son programme le nom du prêtre – père Stephen –, regrettant que tous les curés ne soient pas comme le père Carrington. Elle qui avait fait tant de progrès avec Tee Jee en une semaine. Tee Jee avait trouvé le crayon de la collecte, dans le compartiment du banc, et il dessinait une maison sur l'enveloppe destinée à la quête.

— Ces mêmes intellectuels aiment nous dire que nous ne pouvons pas savoir ce qui s'est passé à Bethléem il y a deux mille ans, dit le prêtre. Mais l'argument ne tient pas car eux non plus ne le savent pas. *Ils* n'y étaient pas. Nous, nous avons la *parole de Dieu*. Alors, comment peuvent-ils nous affirmer que nous sommes dans l'erreur?

– C'est pas vrai, dit Jamie.

– Où rencontrons-nous, de nos jours, une foi passionnée comparable à celle de la population d'autrefois? demanda le père Stephen. Dans nos églises? Dans nos écoles paroissiales? Dans nos cœurs?

Il eut un petit rire chaleureux.

– Loin de moi l'idée d'insinuer qu'il faille tuer qui que ce soit au nom du catéchisme, dit-il. Pourtant, je vous le demande, avons-*nous*, dans nos cœurs, cette forme de foi inflexible?

Tee Jee était désormais concentré sur le prêtre et fronçait les sourcils. Puis il regarda de nouveau ses genoux. Yvette récita intérieurement un Notre Père afin de se rappeler pourquoi elle était là. Elle venait de finir *maintenant et à l'heure de notre mort* lorsque Tee Jee enfonça la mine pointue du crayon des collectes dans la main de son père. Jamie poussa un cri aigu et le prêtre leva la tête, surpris. Yvette en fit autant.

– Tee Jee, qu'est-ce que tu fous, bordel? dit Jamie, et Yvette regarda autour d'elle pour voir qui avait entendu. Quelques personnes s'étaient retournées sur leurs sièges.

– Je l'ai pas fait exprès, pleurnicha Tee Jee.

Le sermon reprit et le prêtre, totalement déconcentré, les surveillait, pendant qu'il parlait. Gail retira son foulard vert et en enveloppa la main de Jamie qui saignait entre le pouce et l'index, là où la mine du crayon avait perforé le fin repli de la peau.

– Tout va bien, Tee Jee, chuchota Gail. On en parlera plus tard. Yvette, je peux vous le laisser?

Yvette acquiesça et Gail guida Jamie le long de la travée.

Tee Jee fixait silencieusement le crayon sur ses genoux. Yvette passa son bras autour de lui, bien qu'elle eût soudain peur.

– Pourquoi as-tu fait ça, mon cœur, murmura-t-elle à son oreille.

Tee Jee secoua la tête, refusant de répondre. Yvette n'entendait plus le prêtre qui continuait à parler. Après la communion, elle marcha avec Tee Jee jusqu'au ferry. Il réagissait à ses questions comme s'il était en état de siège : la tête baissée, sans répondre.

– C'est parce que Jamie ne croit pas? demanda-t-elle, au bord du désespoir. C'est à cause de ce que disait le prêtre?

Tee Jee persistait à ne pas répondre, mais il trébucha et lui lança un coup d'œil avant de regarder à nouveau par terre.

Yvette prit le vol du soir pour rejoindre le groupe du père Carrington et partir à Rome. Jamie avait trois points de suture à la main et Tee Jee restait muré dans son silence. À l'origine, Yvette avait projeté ce pèlerinage seulement pour elle-même, au nom de sa relation avec Dieu et de son envie d'aller là-bas. À présent, elle avait une mission, prier pour Tee Jee et Jamie au-delà de sa façon habituelle de prier pour sa famille. Elle prierait pour eux dans la ville sainte, pour qu'ils Le rencontrent, et trouvent leur chemin.

37

Yvette passa toute la durée du vol transatlantique à parler de Tee Jee avec le père Carrington, abandonnant Teddy près d'une veuve de la paroisse à qui il n'avait rien à dire. Il contempla les nuages blancs, au-dessous d'eux, par le hublot en plexiglas. L'enfant avait grandi sans Dieu et sans mère dans un camping-car, avant d'atterrir dans une maison où deux personnes vivaient dans le péché. Qu'y avait-il à en attendre?

À leur arrivée à Rome, le matin, Teddy aurait souhaité dormir mais Yvette insista pour se rendre directement à la basilique Saint-Pierre. Elle ne se sentait pas prête pour le Colisée, dit-elle; la mort de tant de braves chrétiens l'aurait mise hors d'elle. Ils déambulèrent dans les rues autour de l'hôtel jusqu'à se retrouver sur la place Saint-Pierre, entourés de ses rangées de colonnades, autant de bras tendus vers eux par la sainte mère l'Église. Teddy avait beau avoir lu des livres sur la basilique, et vu des

photos du péristyle et du grand dôme, il n'était pas préparé à les voir se dresser devant lui, avec leurs pierres
blanches étincelantes dans le soleil. À l'intérieur, le spectacle des plafonds lui donna le vertige et ils rentrèrent à
l'hôtel. La chambre était petite et Teddy s'endormit en
ayant conscience de la proximité des murs.

Dans le rêve de Teddy, Tee Jee était enfermé dans une
cage, à l'intérieur de Saint-Pierre. Les murs étaient rouge
foncé au lieu de la pierre et des dorures de la réalité, et
l'enfant secouait rageusement les barreaux de sa cage.
Yvette, penchée sur la cage, tentait de le calmer. Mais le
père Carrington arrivait, lui prenait le bras et l'emmenait
doucement. Ils avançaient tels deux amants, de plus en
plus proches l'un de l'autre jusqu'à ce que le père Carrington s'arrête et embrasse Yvette. Teddy était dans l'im-
possibilité de les arrêter car ils ignoraient sa présence.
Puis ils se remettaient en marche, suivis de Teddy, et le
père Carrington conduisait Yvette dans une pièce dorée
où l'attendait le pape. Elle s'agenouillait à ses pieds et le
grand homme lui prenait la main qu'il portait à ses
lèvres. Le saint homme voulait garder Yvette pour lui
seul, Teddy le savait, et il s'élançait vers eux avant d'être
maîtrisé par des gardes suisses. Yvette lui lançait un
regard triste par-dessus son épaule, comme si Teddy ne
comprenait pas combien c'était important pour elle. Puis
il se retrouva à l'enterrement de son grand-père, sa

grand-mère criait « *Il est mort! Il est mort*!*» en se jetant dans la tombe. Ensuite, ce fut au tour de Teddy d'être dans la tombe, cramponné aux parois lisses du cercueil tandis qu'on lui lançait des pelletées de terre sur le dos. Il se dit qu'il devait être mort et leva les yeux en direction de l'assistance dressée au bord de la tombe mais Yvette n'y était pas et soudain, il sut qu'elle était sous lui, dans le cercueil. Il hurlait, dans son rêve, et il se réveilla en sueur.

Il était au lit, dans une chambre inconnue, exiguë. Il tâtonna sur le côté, persuadé de trouver du vide, et sentit l'épaule nue d'Yvette. Elle marmonna une vague interrogation du fond de son sommeil. La chambre était celle de l'hôtel, à Rome. Yvette était près de lui, vivante. Ils s'étaient couchés dans l'après-midi et la nuit était tombée maintenant. Il resta allongé, attentif au bruit des voitures dans la rue, jusqu'à ce que les battements de son cœur reprennent un rythme normal.

Ce soir-là, ils mangèrent dans un restaurant en compagnie du père Carrington et des autres membres du groupe. Le prêtre s'entretenait avec un jeune couple enjoué dont il avait célébré le mariage ; le pèlerinage leur faisait office de lune de miel, ce que Teddy trouvait parfaitement inconvenant. Étaient aussi présents un homme paisible, fervent croyant, venu sans sa femme, et la directrice de la chorale de l'église, accompagnée de sa fille, une adolescente renfrognée. Une querelle silencieuse opposait la fille et la mère. Teddy s'assit à côté d'Yvette ; perturbé par son rêve, il ne voulait pas la perdre de vue. Le père Carrington passa les commandes et plaisanta en italien avec le jeune serveur.

Yvette portait des boucles d'oreilles en argent et un chemisier bordeaux, et buvait du vin rouge. Ses yeux brillaient dans la lumière des bougies, il aurait souhaité qu'elle ne regarde que lui. Elle s'adressait à des gens assis en face d'elle, un autre couple, leur répétait les questions posées par son petit-fils, au sujet de Dieu, et ils riaient, charmés.

— On se serait crus au catéchisme, dit-elle. Sauf qu'il n'avait jamais entendu parler de catéchisme, auparavant. Exactement les mêmes questions, tellement de questions.

Elle ne mentionna évidemment pas le crayon planté dans la main. Teddy retourna sa serviette sur ses genoux en pensant à son rêve. Il éprouvait envers le père Carrington une méfiance née de son rêve, qu'il s'efforçait de surmonter. L'arrivée des plats commandés par le prêtre créa une diversion bienvenue pour Teddy, mais ensuite, la nourriture lui pesa sur l'estomac. Il fut ravi qu'Yvette veuille faire une promenade, après le dîner ; il n'avait pas l'habitude de dormir l'après-midi. Ils achetèrent des *gelati* dans la rue, à la devanture d'un glacier, en anglais.

— *Mille grazie*, dit Yvette en prenant son cornet.

Le vendeur de glaces répondit par une avalanche

d'italien, comme si les deux mots prononcés par Yvette prouvaient qu'elle maîtrisait la langue. Elle rit, répéta les deux mêmes mots et l'homme, comprenant qu'elle n'avait rien compris, rit à son tour et les salua de la main.

— J'adore être ici, dit Yvette tandis qu'ils marchaient dans la rue. Je me sens comme Thérèse de Lisieux quand elle est venue, j'ai l'impression d'avoir quatorze ans. Je vais m'échapper du groupe pour aller embrasser toutes les reliques et m'allonger dans le cercueil de sainte Cécile.

Teddy s'arrêta.

— Comme dans mon rêve, dit-il.

— J'étais sainte Thérèse ? demanda-t-elle joyeusement.

Teddy secoua la tête et se remit à marcher. Il ne voulait pas lui raconter qu'elle avait été dans un cercueil.

— Moi aussi, j'ai rêvé, dit-elle au bout d'un moment. J'étais dans un avion mais je voyais partout autour de moi, à travers des vitres. Tout était d'un bleu limpide, et je volais. C'était magnifique.

— Tu as vu des sous-marins ? demanda-t-il.

Elle rit, de ce rire qui avait charmé les gens à table, de façon plus intime toutefois, pour lui seul.

— Non, pas de sous-marins, dit-elle. Il n'y avait aucun danger, personne ne faisait la guerre. Oh, c'était si beau, Teddy. J'aime tellement être ici avec toi, Teddy, je veux revenir avec toute notre famille.

Il fronça les sourcils, perplexe.

— Ils ne sont pas tous catholiques, dans notre famille, dit-il.

Il lui en coûtait de le dire, mais c'était vrai. Et comment feraient-ils le voyage ensemble ? Eux qui se parlaient à peine les uns aux autres.

— Bien sûr que si ! dit Yvette. Nous allons leur proposer, ils voudront tous venir. Simplement, on ne dira rien de la longueur du vol. Et une fois sur place... Tee Jee pourrait faire sa première communion, comme le petit Teddy Kennedy.

— Les Kennedy connaissaient le pape.

— Pas avec le pape, dit-elle. Simplement ici, dans cet endroit. Est-ce que ce ne serait pas merveilleux ?

Elle lui prit la main. Ils suivirent la rue qui menait aux colonnades, à la place Saint-Pierre, et se retrouvèrent à nouveau devant la basilique. Elle avait quelque chose de magique, d'irréel, avec son dôme blanc illuminé dans la nuit. Yvette en eut le souffle coupé.

— Oh, dit-elle.

Debout, silencieux, ils contemplaient l'église dont Teddy avait rêvé et dont il n'avait plus peur, maintenant. Un lieu saint, somptueux, sur lequel son rêve n'aurait aucune prise néfaste, pas même dans son esprit. Yvette se tourna finalement vers lui.

— Viens, rentrons à la maison, dit-elle. Je voulais dire, à l'hôtel.

Son impatience trahissait une envie de faire l'amour. Dans la chambre d'hôtel aux murs si proches, avec Yvette dans ses bras, Teddy comprit qu'il lui avait fallu beaucoup de temps pour s'en rendre compte, mais qu'aucun homme n'était assez bon pour mériter la vie qu'il avait eue.

Le matin, lorsqu'il se réveilla, elle n'était plus dans le lit. Il consulta sa montre : elle indiquait six heures. Le père Carrington n'avait pas prévu de se rendre à la messe avant sept heures trente. Teddy se leva, prit une douche et s'habilla, puis descendit dans le hall de l'hôtel. Il était désert, hormis le personnel, alors que l'établissement fourmillait de pèlerins le soir précédent. Il faisait jour quand il sortit dans la rue, un café était ouvert, quelques clients buvaient un café. Il s'arrêta et réfléchit une minute.

En quittant l'hôtel, on pouvait prendre indifféremment à droite ou à gauche pour rejoindre Saint-Pierre. Teddy avait un jour lu que les gens qui écrivent de gauche à droite ressentent la gauche comme étant le passé et la droite, le futur. Si elle était partie à pied, Yvette avait dû prendre à droite ; elle n'avait jamais été nostalgique. Il s'élança vers la droite, à sa recherche.

38

Yvette s'était levée avant l'aube, plus fringante que jamais. Le père Carrington l'avait mise en garde contre le décalage horaire et les réveils intempestifs, mais elle était à Rome! La journée commençait, pas question de rester au lit. Elle s'habilla, quitta silencieusement la chambre pour ne pas déranger Teddy dans son sommeil, et sortit dans la lumière naissante. Elle irait à Saint-Pierre, prier pour Tee Jee; elle aurait aimé le faire avant, dès leur arrivée, malheureusement ils étaient tous les deux trop fatigués la veille. Éblouie par la beauté de la basilique, elle s'était contentée de prier comme elle le faisait toujours, pour remercier Dieu de chaque instant.

Ayant franchi la porte de l'hôtel, elle tourna à droite pour suivre le même chemin que la veille, avec Teddy. Un homme lavait des poissons, à l'extérieur d'un restaurant, l'eau coulait dans le caniveau. Elle lui sourit et il lui sourit à son tour, s'interrompant un instant pour se redresser et s'étirer. Un marchand de glaces ouvrait son échoppe et elle se demanda qui pouvait bien commencer sa journée en mangeant une glace – puis cela lui fit envie. Teddy gardait l'argent italien en sécurité dans son portefeuille. Elle envisagea de retourner chercher quelques centaines de lires pour s'offrir un café glacé, mais elle partait prier et elle continua sa route.

Un homme lui adressa la parole dans une ruelle en contrebas des colonnades et elle se retourna. Ensuite, tout alla très vite. Il était vigoureux, en dépit de sa minceur, et il la poussa dans un recoin sombre, contre la pierre. Il palpa les poches d'Yvette, ses mains osseuses erraient sur son ventre et ses cuisses, et elle parvenait à peine à respirer, tant elle était choquée. Il lui demanda quelque chose dans un italien hargneux, elle répondit qu'elle n'avait rien, ni argent, ni lires, *niente* – le mot « rien » avait surgi de nulle part. Avec ses yeux noirs et tristes enfoncés dans le visage, il lui rappela soudain Jésus. Tant de pèlerins venus à Rome pour le second avènement, et lui était là, dans cette obscurité à l'odeur d'urine. Elle lui dit en anglais qu'elle l'aiderait, que son mari avait de l'argent, qu'elle allait prier. Puis elle sentit une étrange chaleur monter dans sa gorge, sa respiration s'interrompre et les ténèbres descendre peu à peu, sous le regard noir de l'homme. Il avait les yeux brillants, comme humides. Quand il la lâcha, elle s'écroula sur le pavé, sans douleur. Elle comprit qu'elle s'apprêtait à rencontrer son Seigneur, se rappela à quel point ce moment serait merveilleux.

39

Henry reçut au petit matin l'appel en PCV de son ex-beau-père, depuis Rome. La ligne était excellente, comme s'ils avaient été dans la même pièce. Teddy voulait savoir si Henry pouvait intervenir auprès de l'ambassade, s'il connaissait l'ambassadeur, s'il pouvait obtenir de l'ambassadeur le retour d'Yvette.

Ayant enfin réussi à calmer Teddy, Henry comprit qu'Yvette était morte. Teddy semblait prêt à la rejoindre. La police détenait le corps et refusait de le rendre tant que l'assassin n'avait pas été arrêté et tous ceux auxquels s'adressait Teddy le renvoyaient à d'autres gens. Un certain père Carrington essayait de l'aider. Il était aussi question de Rome envahie par les pèlerins, de l'arrivée du second millénaire, de la criminalité en augmentation et du rêve de Teddy.

— Je pense qu'elle était allée prier pour le fils de Jamie, dit Teddy.

— Vous voulez dire le fils d'Abby?

Il y eut un silence à l'autre bout de la ligne et Henry eut la confirmation de ce qu'il soupçonnait depuis toujours. Il se sentit étrangement soulagé de ne pas l'avoir su plus tôt – à l'époque où la perte d'Abby lui faisait l'effet d'un couteau dans le cœur à chaque fois qu'il y pensait. Il aurait été capable de tuer Jamie de ses propres mains, alors, faisant de l'enfant un orphelin et se condamnant à la prison à perpétuité. Un stade qu'il avait dépassé, maintenant. Il réussit à parler.

— La famille est au courant?

Il voulait dire au sujet d'Yvette.

Teddy répondit d'une voix brisée par la tristesse.

— Je n'arrive pas à leur dire.

— Il faut, pourtant.

— Je ne peux pas.

Ainsi, Henry se rendit dans la maison de Clarissa – sa maison d'autrefois, dans une autre vie, avec Abby – et se retrouva assis sur un canapé bleu qu'il ne connaissait pas, face à Clarissa et Véra qui ne le quittaient pas des yeux tandis qu'il annonçait à Clarissa la mort de sa mère. Le visage de Clarissa prit la couleur de la cendre. Il leur répéta ce qu'il savait: l'absence de témoin, le manque de piste du côté de la police italienne. Aucun prélèvement d'ADN n'avait été effectué sur le moment et rien ne permettrait de faire des tests comparatifs au cas où on trouverait maintenant matière à analyse, en admettant qu'un tribunal italien accepte de considérer cela comme des preuves. Il était peu probable de retrouver l'assassin. S'ils insistaient pour que le corps soit rapatrié au plus vite, selon le souhait de Teddy, la police classerait l'affaire.

Les deux femmes se taisaient toujours, Henry continua. Si cela pouvait les consoler, dit-il, il avait vu des procès pour meurtre durer des années et il avait parfois le sentiment que ces affaires avaient généré plus de chagrin qu'elles n'avaient trouvé d'épilogue. Teddy avait quatre-vingt-deux ans, il était dans un pays étranger, confronté à la bureaucratie italienne…

Soudain, Clarissa se leva et alla s'enfermer dans l'ancienne chambre d'Abby.

Henry demeura seul avec Véra, dans un silence embarrassant, puis il lui dit combien il était désolé. Il lui demanda si elle avait les numéros de téléphone de Jamie – il sentit une nouvelle secousse intérieure – et de Margot. Il était vraisemblable qu'Yvette soit de retour avant Noël, d'après l'ambassade, pour que les obsèques puissent avoir lieu. Il faudrait probablement d'abord l'incinérer, et il se proposait de consulter le reste de la famille afin d'obtenir son accord.

Ils entendirent une plainte angoissée dans la chambre du fond, puis la voix de Clarissa :

– Pourquoi est-ce que mon père ne me l'a pas dit lui-même ? cria-t-elle.

– Nous préviendrons Jamie et Margot, dit Véra.

40

Dans le salon de Gail, Tee Jee regardait le sapin en plissant des yeux pour brouiller l'image des lampes rouges et vertes. À cause du coup de téléphone reçu la veille, pendant leur installation, la décoration se limitait aux guirlandes lumineuses, après, tout le monde était bien trop triste pour décorer quoi que ce soit. Tee Jee n'était pas assez grand pour atteindre toutes les branches et la boîte contenant des étoiles, des animaux et des boules argentées semblait inaccessible.

Il n'existait rien de si vilain qui ne puisse être pardonné, avait dit sa grand-mère Yvette. Et à propos de Dieu et de Jésus, le prêtre avait dit : comment savons-nous que ce *n'est pas* vrai ? Or, il se posait exactement la même question : comment savoir ? Il avait vu la main de son père à côté de lui, sur le banc d'église, tellement plus grande et puissante que la sienne tandis que le prêtre disait que les gens qui ne croient pas devraient peut-être mourir. Son père ne croyait pas. Son père disait qu'il ne savait pas, ou alors il parlait de science et d'évolution. Il n'avait pas envie que son père meure à cause de cela. Nous savons dans nos cœurs, prétendait Yvette. Elle affirmait que la merveille du corps humain ne pouvait être le fruit du hasard. Le crayon était tellement pointu et la main de son père était là, elle était le fruit de quelque chose, et le prêtre parlait, et il avait alors commis cet acte auquel il n'arrivait pas à penser; il avait mal, en y pensant.

Il cligna des yeux, le sapin devint noir avant d'étinceler à nouveau de rouge et de vert. Ce qu'il avait fait était trop horrible pour être pardonné, en dépit des déclarations d'Yvette. Et maintenant, Yvette était morte. Ils ne voulaient pas qu'il sache, à propos du couteau, mais il les avait entendus parler dans la cuisine. Il pensa à la fille de l'école, enlevée avec un couteau, qui était revenue, elle. Yvette disait que la mère de Tee Jee veillait sur lui, dans le ciel. Yvette y était peut-être, elle aussi, désormais. Et un jour, Dieu le prendrait, lui aussi. Il ne voulait pas que Dieu le prenne. À moins que son père n'ait raison, que notre rôle soit de nous transformer en compost et d'aider les guêpes à faire pousser les fleurs. Peut-être que personne ne veillait sur lui. Et si personne ne veillait, le pardon était impossible, puisque personne n'était là pour pardonner. La dernière parole d'Yvette dont il se souvenait était: « Pourquoi as-tu fait ça, mon cœur? »

Il demanda à Dieu de lui rendre Yvette, pour prouver qu'Il existait et qu'Il pouvait tout faire. Mais rien ne se produisit. Il attendit un peu, en contemplant les lumières dans le sapin, Dieu n'était peut-être pas à l'écoute des gens de Puget Sound en ce moment, pensa-t-il. Il ne pouvait pas écouter tout le monde en même temps. Le père de Tee Jee sortit de la cuisine et s'arrêta, pour l'observer. Il savait que c'était lui parce qu'il reconnaissait le pas de son père. S'il levait la tête, il verrait les points de suture sur la main de son père, et la tristesse sur son visage. Il se sentait gêné d'avoir demandé à Dieu de faire revenir Yvette, cependant il murmura : « Est-ce qu'elle nous regarde ? », tant il avait besoin de savoir.

Son père s'approcha, le souleva en passant un bras sous ses genoux et s'assit sur le canapé qu'ils avaient déplacé face au sapin en le tenant serré contre lui.

— Est-ce que tu sens qu'elle nous regarde ?

— Je ne sais pas.

— Est-ce qu'elle est dans ta tête ? Est-ce que tu entends sa voix ?

— Oui, dit Tee Jee.

— Alors, elle te regarde, dit son père. Et qu'est-ce qu'elle dit ?

Il ne pouvait pas répondre qu'elle lui demandait : *Pourquoi as-tu fait ça, mon cœur ?*

— Je ne sais pas, dit-il.

– Elle est aussi dans ma tête, dit son père au bout d'une minute. Elle me demande si ce que je fais est bien, si je le sais dans mon âme.

Tee Jee était stupéfait.

– C'est vrai?

– Tout le temps, dit son père.

– Et c'est bien, ce que tu fais?

– Pas toujours.

Tee Jee réfléchit à ce qu'il venait d'entendre.

– Je suis désolé de ce que je t'ai fait, dit-il.

– Je sais, dit son père en le serrant un peu plus fort.

Mais le pardon de son père n'était pas un véritable pardon. Ils étaient trop impliqués, l'un et l'autre. Tee Jee plissa à nouveau les yeux devant le sapin et vit les lumières vaciller.

– Tu pries pour elle? demanda-t-il.

– Je pense à elle, dit son père.

– Est-ce que l'homme avait un couteau?

Son père ne répondit pas immédiatement. Puis il dit:

– Oui.

– Tu as prié pour lui?

– Non, dit son père, la voix enrouée. Mais elle l'aurait fait.

Toujours dans les bras de son père, Tee Jee ferma les yeux et tenta de prier. Il essaya de demander que l'homme au couteau trouve Dieu et soit pardonné. Mais ça ne marchait pas. Il ne croyait pas que ce soit possible. Il essaya de prier pour Yvette, pour qu'elle soit heureuse au ciel et pardonne à tous. Mais ça ne marchait pas non plus. Elle était morte, comme sa mère, et il tremblait dans les bras de son père, le visage humide, et l'image du sapin se brouilla sans qu'il le veuille, parce qu'il ne reverrait plus jamais Yvette, même pas au ciel, puisque rien de tout cela n'était vrai.

41

Avant le départ de ses parents pour Rome, Clarissa avait appris qu'elle serait invitée pour Noël. Ce serait l'année de la réunion des enfants prodigues : Margot, dont le secret n'en était plus un ; Clarissa qui avait trahi son père en aimant Véra ; Jamie, revenu d'une longue disparition, et l'enfant naturel d'Abby. Tous seraient généreusement pardonnés et baigneraient dans l'amour d'une Yvette fraîchement bénie par l'homme qui disait à ses millions d'adeptes que le sexe hors mariage était un péché et l'homosexualité un affront à Dieu. Un charmant prêtre chargé de les convaincre viendrait prendre le petit déjeuner, le jour de Noël.

Clarissa s'était préparée à résister. À dire qu'elle n'irait pas. Elle ferait valoir qu'elle s'opposait à ce qu'on mythifie la famille, une famille dont elle ne s'était jamais tellement nourrie. Le fait qu'elle soit née parmi eux ne signifiait pas qu'ils puissent déterminer ses actions jusqu'à la fin de ses jours. (Véra avait haussé les sourcils. «C'est pourtant ce qui se passe, là, maintenant, remarqua-t-elle.») Clarissa avait mis au point un genre de discours. Une phrase tirée d'un livre lui revenait sans cesse en tête : *Et la nature, dans son humeur la plus complexe, n'a pas pu vouloir faire de moi une fille appartenant à une famille.*

L'assassinat de sa mère avait eu raison de ses principes. Elle voulait que sa mère revienne. Elle voulait vivre à nouveau dans la maison de sa mère. Elle voulait qu'Yvette soit au ciel avec Jésus. À défaut de tout cela, elle avait envie de se pelotonner sur les genoux de son père et d'y passer le reste de sa vie. Lorsque Véra suggéra de revenir de l'enterrement le jour même, Clarissa répondit qu'elles resteraient pour Noël.

— Chez ton père ? demanda Véra.

— Nous avons été invitées.

— Tu crois qu'il le supportera ? demanda Véra.

Une vague de culpabilité submergea à nouveau Clarissa.

— Tu as raison, dit-elle. N'y allons pas.

— Tu dois assister aux obsèques.

— Je ne peux pas faire juste l'aller et retour.

— Eh bien, va pour un Noël en famille.

— C'est *toi*, ma famille, dit Clarissa. Oh, mon Dieu, ma mère n'est plus là. Ma fille est morte et je n'ai plus de mère.

Elle se coucha, roulée en boule autour de la douleur nichée dans son estomac.

Trois jours passèrent, au bout desquels ni l'une ni l'autre ne savaient de quel côté penchait Clarissa et elles tombèrent d'accord pour décider une fois sur place.

Elles arrivèrent les premières et Teddy leur ouvrit la porte. Il avait vieilli. Pour la première fois, Clarissa le voyait comme un homme âgé. Il l'embrassa délicatement, serra la main de Véra sans la regarder. Il avait les yeux humides et il les conduisit dans l'ancienne chambre de Clarissa. La pièce était devenue une chambre d'ami, des gravures botaniques décoraient les murs. Les deux lits jumeaux étaient toujours là, avec leurs couvre-lits verts, et sur chacun étaient posés des serviettes de bain et des gants de toilette.

— Je crois que ta mère avait l'habitude de faire ça, ma chérie, dit-il. Je ne sais pas comment m'y prendre, avec toutes ces choses.

— C'est parfait, papa, dit Clarissa.

Margot et Owen auraient droit à un grand lit puisqu'ils dormaient dans la chambre de Margot. Un instant, Clarissa pensa rapprocher les deux lits, mais elle décida de les laisser séparés.

Elle prit son père dans ses bras, Véra regardait par la fenêtre de la chambre.

— C'est très dur pour moi, dit-il en se tenant à elle, et

il lui sembla que c'était là toute la reconnaissance qu'elle obtiendrait.

Puis il se retira dans sa chambre jusqu'à l'arrivée de Margot et Owen au volant d'une voiture louée à l'aéroport.

Margot était toujours aussi posée et élégante, une femme menant une belle vie, loin des tracas liés aux enfants. Clarissa avait du mal à se rappeler que c'était faux, qu'elle avait connu le désir, la tromperie, le regret. Elle se sentait comme dans un grand film triste avec sa sœur. Elle n'avait qu'une envie, pleurer toutes les larmes de son corps, chose impossible avec Margot. Ce fut un soulagement de voir Jamie garer l'Airstream et de se retrouver tous dehors.

Jamie sortit du camping-car avec Gail et Clarissa pensa qu'elle avait dû plaire à sa mère ; elle était jolie au sens où Yvette l'entendait. Puis Tee Jee descendit à son tour de l'Airstream, il ressemblait tellement à Abby que Clarissa en eut le souffle coupé.

— Voici Gail et Tee Jee, dit Jamie à l'assemblée réunie sur la pelouse. Vous êtes au courant, j'imagine. Teej, voilà mon papa, et Owen, et mes sœurs… Mais il dut s'interrompre, le visage déformé par le chagrin. Il se dirigea vers son père en premier et Teddy tendit maladroitement les bras. Soudain, Clarissa eut peur de ne pouvoir tenir le coup trois jours dans cette atmosphère sans que son cœur ne se brise.

Tandis que les autres déchargeaient les bagages, Clarissa présenta Jamie, son chéri, son frère, à Véra et le serra dans ses bras de toutes ses forces.

Pendant la messe de minuit, Clarissa était assise à côté de Véra, à l'extrémité d'un banc de l'église de son enfance, bondée pour l'occasion. Elles étaient sur le même banc, la veille, lors de la messe de requiem, et les cendres de sa mère trônaient sur l'autel dans un petit coffret brillant surmonté d'une gerbe de lys blancs. Clarissa n'avait vu que le coffret, les fleurs et les visages des membres de sa famille, dans son affliction, mais cette nuit, elle parvenait à regarder autour d'elle. Le bâtiment et le chœur, immenses lorsqu'elle était enfant, avaient rétréci comme font les écoles. Seuls les jacarandas étaient plus grands, dehors sur la pelouse, là où elle avait un jour embrassé Henry en pensant qu'il était tout ce qu'elle pourrait jamais vouloir.

Jamie était assis entre Clarissa, qui lui tenait fermement la main comme s'il risquait à nouveau de se volatiliser, et Tee Jee. Puis venait Gail. À côté d'elle, il y avait M. Tucker, arrivé dans l'après-midi avec sa queue-de-cheval blanche et ses dents manquantes, accompagné de Lauren, sa petite-fille adoptive. Jamie avait demandé à inviter M. Tucker à Noël et Teddy avait été trop hébété de chagrin pour refuser et Margot trop polie. Jamie disait qu'il voulait voir rassemblée toute sa famille, sans mensonges ni secrets. Il savait que ce serait difficile pour Margot, mais qu'elle serait à la hauteur. Le visage et les lèvres de Margot, installée sur la terrasse arrière avec des lunettes de soleil, s'étaient décolorés à l'arrivée de M. Tucker, mais elle lui avait serré la main, entourée des fleurs d'Yvette.

— Je suis navré, pour votre mère, dit M. Tucker.

Margot l'avait remercié d'un mouvement de la tête.

— Je suppose que vous préféreriez ne m'avoir jamais connu, dit-il. Mais Jamie est un gars formidable.

Margot avait hoché une nouvelle fois la tête, l'air affreusement mal à l'aise.

— J'aimerais pouvoir me souvenir, dit M. Tucker. J'espère que Jamie vous a dit que ma mémoire ressemble à un vieux gruyère suisse.

Finalement, Jamie avait entraîné l'homme à l'intérieur, libérant Margot.

Au fond d'elle, Clarissa avait été reconnaissante envers Jamie: on pouvait toujours compter sur lui aussi pour faire exactement ce qu'il ne fallait pas.

Assise à côté de M. Tucker à la messe de minuit, Lauren portait une jupe rouge et un polo vert moulant, conformes à l'idée que *Playboy* se fait d'un elfe. Pendant la rencontre entre Margot et M. Tucker, elle s'était tenue à l'écart, lançant des regards anxieux à tout le monde.

Elle était en dernière année à l'université, et paraissait tellement jeune. Lorsqu'elle la regardait, Clarissa ne pouvait s'empêcher de penser qu'Abby n'avait même pas atteint son âge. Planchet, le cousin d'Yvette qui avait pris l'avion pour les obsèques, était à côté de Lauren, puis il y avait Margot et Owen, et enfin, Teddy.

Teddy était comme un revenant, sans Yvette. Il n'était pas préparé à voir la famille soudain rassemblée. Ce n'était pas qu'il refusait de tuer le veau gras, mais plutôt qu'il ne semblait plus y avoir aucun veau gras. Il était l'ombre de lui-même ; il avait vécu par Yvette, pour Yvette. En se penchant en avant, Clarissa apercevait ses mains sur ses genoux, elle se dit qu'il priait. Il avait été prévu qu'Yvette lise Isaïe pendant la messe, et ils l'avaient lu ensemble, à la maison, avant de partir :

Car un enfant nous est né, un fils nous a été donné,
Il a reçu l'empire sur les épaules ; on lui donne un nom :
Conseiller merveilleux, Dieu fort,
Père éternel, Prince de la paix.

Isaïe était le livre préféré d'Yvette. Teddy avait éclaté en sanglots, en le lisant.

Clarissa se laissa aller en arrière, entourée de la chaleur des corps dans leurs pulls de Noël neufs, parmi les enfants fatigués de veiller si tard. Elle pensa aux rues plongées dans l'obscurité, aux protestants bien tranquilles dans leurs lits. Les parents méthodistes avaient mis les cadeaux devant la cheminée, mangé les gâteaux laissés par les enfants pour le père Noël, et vidé le verre de lait dans l'évier. Les familles chinoises, baptistes et bouddhistes avaient simplement embrassé leurs enfants avant de sombrer dans les rêves. Les unitariens n'exaspéraient pas leurs pères par le choix de leurs partenaires amoureux et leurs mères ne se faisaient pas agresser et assassiner en essayant d'aller voir le pape. Les réfugiés hongrois, quand ils étaient comme Véra, ne passaient pas des heures à pleurer chez leur thérapeute. Les enfants juifs aussi, étaient heureux, avec des jours réservés aux cadeaux, dans la chaleur et l'amour.

Puis Clarissa se demanda ce que penserait Véra – puisqu'elle soumettait toutes ses réflexions à Véra, désormais – de sa litanie sur les familles heureuses. Véra éclaterait de son rire joyeux et secouerait la tête en disant : « Oh, mince, tu veux rire. » Véra avait adopté ce « mince » pour remplacer quelque chose en hongrois qui servait à intensifier ses propos.

Clarissa avait lâché la main de Jamie et elle prit celle de Véra, enlaça ses doigts dans les siens. Véra détourna son attention du prêtre et lui sourit, de ce lent sourire qui éclairait l'ensemble de son visage quand il atteignait les yeux. Clarissa sentait la chaleur de la peau de Véra contre sa paume et le bois poli des vieux bancs de son enfance contre ses articulations. Le prêtre disait la messe, balançait l'encensoir, et Clarissa se surprit à souhaiter que tout demeure dans la beauté du latin à demi enfoui dans la conscience – *Asperges me, Domine, hyssopo et mundabor.* Elle se dit qu'elle y croirait peut-être, alors. Tu m'aspergeras, ô Seigneur, et par l'hysope, me purifieras.

42

Teddy se réveilla dans son lit et examina la chambre, cherchant à comprendre où il se trouvait. Il n'était plus à Rome. Aux murs pendaient des photos de ses trois enfants de plus en plus grands et âgés, d'Abby qui aurait toujours vingt ans et des photos-souvenirs de Tee Jee envoyées de différents États par Jamie, sans adresse d'expédition. Le portrait d'Yvette et des filles posant dans le salon pendant que Teddy était en Corée figurait parmi les photos. Des années durant, il l'avait caché, le tirant de son enveloppe en secret, traversé par le plaisir et la douleur. Accrochée au mur, l'image avait perdu une partie de son pouvoir mais aujourd'hui, elle le martyrisait à nouveau. Comme chaque matin, la conscience qu'Yvette n'était plus là lui revint et il regretta de s'être réveillé. Elle avait reposé dans une urne, dans le chœur de l'église. Elle était au ciel avec Dieu. Le pape, en posant sa main baguée sur la tête de Teddy en signe de compassion dans la douleur, lui avait dit qu'il en était ainsi, que son âme s'était envolée vers le Seigneur.

Teddy prit une douche et s'habilla en se remémorant le poids frais de la main du pape, et se dit qu'il devrait se réjouir de voir sa maison pleine de monde, quelle que soit la nature des occupants. Une réunion de famille avait eu lieu pour savoir s'il convenait de célébrer Noël comme prévu, si peu de temps après les obsèques. Ils s'en étaient remis à Teddy ainsi qu'ils s'en remettaient à Yvette, avant. Teddy ne voulait pas entendre parler de Noël ; il voulait s'enfermer dans sa chambre et ne plus en sortir. Mais Yvette aurait souhaité qu'il continue, qu'il célèbre la lumière à la face des ténèbres. Elle aurait désiré qu'il pardonne à son assassin évanoui dans la nature, celui qui l'avait expédiée vers son Dieu, et Teddy avait lutté pour y parvenir. S'il était capable de pardonner à cet homme, il pouvait bien accueillir n'importe qui.

Quittant sa chambre à regret, il s'installa dans un fauteuil près de la cuisine ouverte. Il était déterminé à aimer cette multitude qui allait et venait dans sa maison, à assister aux préparatifs.

Les filles s'occupaient du petit déjeuner, la maison sentait le café. Margot séparait des tranches de bacon cru, Clarissa glissait un plat dans le four. La dénommée Lauren se trouvait aussi dans la cuisine, vêtue d'un petit pantalon court, sa seule activité consistant apparemment à être en trop dans la pièce. Margot l'ignorait, et Teddy imaginait sans peine qu'elle souffrait de sa présence et de celle du professeur de danse. Teddy n'avait rien fait pour lui épargner cela, il aurait pu mais il avait laissé Jamie agir à sa guise. Le petit Tee Jee faisait voler en piqué à travers la maison une maquette d'avion de chasse, il s'arrêta pour enlacer les jolies jambes de Lauren avant de reprendre ses acrobaties avec son Corsair. Jamie jouait des chants de Noël à la guitare, en sourdine, comme pour lui-même, mais la musique sonnait étrangement, en l'absence d'Yvette.

Tee Jee longea à nouveau la cuisine avec son avion et s'immobilisa devant le fauteuil de Teddy. L'enfant devint grave.

– Tu as piloté un avion comme ça ? demanda-t-il.

– Il y a longtemps, dit Teddy.

– On t'a tiré dessus, en plein vol ?

– Bien sûr, dit Teddy en pensant à la Corée, aux attaques venues des collines sombres, et aux soldats, à terre.

– Tu tirais sur des gens ?

– On visait plutôt les bâtiments, avec nos bombes, dit-il. Nos cibles.

Il n'aimait pas avoir ce genre de conversation. Il gardait surtout en mémoire les hommes blessés et valeureux qu'il avait contribué à sauver.

– Ce n'était pas toujours très clair, dit-il.

– Ils mouraient ?

– Probablement, Tee Jee. Je suppose que certains sont morts.

Tee Jee ne bougeait pas, l'avion Corsair reposait délicatement sur les genoux de Teddy. Il avait cette expression insondable sur le visage ; il paraissait réfléchir. Jamie attaqua « Joy to the World » à la guitare.

– S'ils n'étaient pas morts, dit Tee Jee en s'adressant aux genoux de Teddy, ils auraient tué encore plus de gens ?

– Probablement, dit Teddy.

– Ils sont allés au ciel ?

– Je n'en sais rien, dit Teddy. Je ne pense pas qu'ils croyaient au ciel, pas de la même manière que nous.

Tee Jee leva la tête, lui lança un regard perçant.

– Il faut y croire, pour y aller ?

Teddy regrettait qu'Yvette ne soit pas là, elle aurait trouvé les réponses.

– Je crois que ça aide, lâcha-t-il finalement.

Ils se dévisagèrent et Teddy pensa que la tristesse et la perplexité qu'il lisait sur le visage du garçon faisaient écho aux siennes. Puis Tee Jee fit décoller l'avion de ses genoux et vola lentement, à hauteur de coude, sans bombarder la moquette du salon, peut-être simplement en patrouille : un vol de reconnaissance. Planchet, le cousin français d'Yvette, observait le garçon avec circonspection, par-dessus son journal. Il est sans doute au courant, à propos du crayon, se dit Teddy.

Gail était allée courir avec Owen et elle arriva de sa douche les cheveux mouillés entortillés au-dessus de la tête. Elle s'assit à côté de Teddy, dans une odeur de shampooing, posa sa main sur la sienne. Il se souvint qu'elle le faisait bafouiller, autrefois. Il lui prit la main et sentit qu'il parvenait avec Gail à atteindre le but qu'il s'était fixé, à savoir accepter cette foule face à lui.

Mais il y avait aussi la Véra de Clarissa en train d'écouter le professeur de danse assis près d'elle sur le canapé du salon et Teddy n'était pas en mesure d'aimer M. Tucker ou Véra, tant le chagrin l'accablait. Une pensée qui n'était guère chrétienne et le rendait triste, mais c'était la vérité. M. Tucker avait privé Margot de la vie et des enfants qu'elle méritait; Véra était la preuve que Clarissa se fourvoyait.

Soudain, Teddy pensa qu'il aurait échangé tous ceux qui se trouvaient dans la maison contre une journée avec Yvette – de même qu'il tuerait celui qui l'avait assassinée, s'il en avait la moindre chance.

43

Pendant que cuisaient les œufs façon John Wayne, Clarissa mélangea du jus de tomate, du Tabasco et de la sauce Worcestershire simplement parce que sa mère avait écrit dans son cahier de recettes que les bloody mary au gin allaient bien avec les œufs. Sur d'autres pages, Yvette avait indiqué quelles étaient les recettes venant de sa mère et celles venant de la mère de Teddy mais les œufs façon John Wayne avaient tout l'air d'être une invention personnelle. Clarissa attrapait mal à la tête à déchiffrer les griffonnages de sa mère mais elle était heureuse d'avoir trouvé quelque chose à faire.

Elle arriva au canapé du salon avec deux verres pleins tandis que M. Tucker disait :

– J'ai été adopté, moi aussi. Comme Jamie.

– Vraiment, dit Véra en prenant une des boissons rouge sang.

M. Tucker refusa l'autre verre.

— Mon père biologique venait d'une famille de hugue-
nots suisses, dit-il. Ils s'étaient installés à Savannah, en
Géorgie, à leur arrivée. J'ai fait quelques recherches
là-dessus.

— Vous avez retrouvé votre père? demanda Véra.

— Je sais qui c'est, dit-il. Il s'agit d'un secret, en fait.
Mais je suppose que vous avez le droit de savoir, puisque
Jamie et Tee Jee sont aussi des descendants.

Clarissa attendit, se disant que Tee Jee n'était pas à
proprement parler un descendant de M. Tucker puisqu'il
n'était pas le fils de Jamie.

— C'est Howard Hughes, dit-il avec un sourire timide.
Katharine Hepburn est ma mère.

Il y eut un silence. Le verre suintait dans la main de
Clarissa.

— Vous êtes sûr? demanda Véra, et Clarissa apprécia
son intonation — posée et pleine de scepticisme.

— J'en suis sûr à quatre-vingt-dix-neuf virgule quatre-
vingt-dix-neuf pour cent, dit M. Tucker. Je lui ressemble.
Comme lui, je suis un inventeur. Un de mes amis a été
son chauffeur, il affirmait qu'il y avait, comment dire, un
lien.

Il les regarda toutes les deux, pour s'assurer qu'elles
comprenaient, Véra hocha la tête et il poursuivit.

— Je suis allé voir Katharine Hepburn, un jour, pour
en avoir le cœur net, dit-il. Nous ne pouvions pas parler

tout à fait librement parce que la garde-malade était dans la pièce, mais elle m'a clairement fait comprendre que c'était vrai.

Clarissa commença à se demander si c'était vrai, tout en sachant que plus tard, dans les lits jumeaux, Véra lui affirmerait que c'était faux. Et elle s'éloigna, acceptant à l'avance les certitudes de Véra. Celle-ci était plus douée qu'elle pour poursuivre cette conversation sans y croire.

Jamie continuait à jouer des chants de Noël à la guitare – *O tidings of comfort and joy* – et Clarissa lui apporta le verre de M. Tucker. La main de Jamie était presque guérie de la blessure causée par la mine du crayon. Il gardait une cicatrice rose pâle.

— M. Tucker est en train de raconter à Véra qu'Howard Hughes et Katharine Hepburn sont tes grands-parents, dit-elle.

— Il est arrivé au moment où Tee Jee ressemble à Hughes? demanda Jamie.

— Tee Jee ressemble à Abby, dit Clarissa.

— Et un peu à moi.

Clarissa fronça les sourcils au passage de Tee Jee courant avec son avion.

Tee Jee ressemblait à Abby.

— C'est une chouette histoire, dit Jamie. Je n'ai pas envie que ça s'arrête. Emmène Tee Jee voir le Spruce

Goose et dis-lui qu'il aurait pu avoir des droits sur cet avion, de par sa naissance.

— Mais ce n'est pas vraiment ton fils.

Jamie la regarda.

— Clar, commença-t-il.

— C'est le fils d'Abby.

— Et le mien.

— Pas tout à fait, dit-elle. Le père était une aventure d'une nuit.

Il se tut pendant une seconde.

— Et c'était moi, dit-il. Excuse-moi, Clar.

Margot posa la main sur l'épaule de Clarissa, par-derrière.

— Le petit déjeuner est servi, dit-elle.

Elle s'éloigna pour prévenir les autres.

Clarissa sentit un froid glacial au creux de son estomac, elle eut soudain du mal à parler.

— Pourquoi est-ce que personne ne me l'a dit? demanda-t-elle. Pourquoi est-ce que personne ne me dit jamais rien?

Jamie posa sa guitare sur le côté.

— Parce que tu crois tout ce qu'on te raconte, dit-il. Il n'y a rien de mal à cela. C'est ce que veulent les gens.

Il la prit dans ses bras et ils entrèrent dans la salle à manger comme un animal à deux têtes.

44

Soucieux d'éviter à Margot de se retrouver à côté de M. Tucker, Jamie s'assit près d'elle à table, accomplissant enfin un geste dont elle lui fut reconnaissante. M. Planchet prit place à sa gauche. M. Tucker s'installa de l'autre côté de la table. Margot se sentait au bord de l'évanouissement. Lorsqu'il était arrivé à la maison, Margot ne voulait pas qu'il lui serre la main, ni qu'il s'approche d'elle. Ce qu'il avait fait, pourtant, et Margot avait alors retenu sa respiration et était restée figée sur la terrasse jusqu'à ce que Jamie, Clarissa et Lauren rentrent. Puis elle s'était levée pour désherber le jardin à l'abandon de sa mère. Son mari l'avait trouvée là, à genoux, arrachant furieusement les mauvaises herbes. Sans qu'elle prononce un mot, Owen avait tout compris. Il s'était agenouillé près d'elle, dans l'herbe, elle s'était blottie contre sa poitrine.

Elle avait fini par regagner discrètement la maison pour s'y laver les mains et presser un linge humide sur ses yeux. En débarquant de l'aéroport, M. Planchet l'avait soigneusement examinée avant de dire, sans son exubérance française : « Oh, *ma petite**. »

Le vieux cousin français lui prit la main et la pressa, et elle reprit des forces. Enfin capable de regarder M. Tucker, de l'autre côté de la table, elle le trouva petit et fragile avec ses dents manquantes, et elle se surprit à le plaindre. Owen était assis à l'autre extrémité de la table entre Clarissa de nouveau renfrognée, et Gail. Le père Carrington, le prêtre préféré de sa mère qui avait été d'un grand secours pour son père à Rome, était installé près de Gail. Il commença le bénédicité.

— Seigneur, bénie soit la nourriture que Tu nous donnes, dit-il. Nous souhaiterions tous qu'Yvette soit parmi nous afin de partager cette nourriture avec elle, mais nous savons qu'elle est auprès de Toi qu'elle aimait tant. Nous sommes reconnaissants d'avoir sa famille réunie ici, en souvenir d'elle. Chacun, autour de cette table, était l'objet de son amour.

Margot se fit la réflexion qu'Yvette ne connaissait ni M. Tucker ni Lauren et elle lança un coup d'œil à son père. Il avait l'air de tenir le coup.

— Nous nous souvenons également d'Abby, poursuivit le prêtre, qui est venue à Toi si jeune. Nous sommes reconnaissants de la présence de son fils tellement plein de vie.

— C'est moi? chuchota Tee Jee à Jamie.

Une cascade de rires contenus parcourut la tablée.
Quand le prêtre eut prié et dit «Amen», l'assemblée
répondit en chœur dans un cliquetis de couverts. La vie
continuait, comme ils l'avaient accepté, comme Yvette
l'aurait voulu. La présence des enfants, des prêtres, des
étrangers rendait cela possible. Suite à l'incident du
crayon, Margot avait observé Tee Jee avec attention. Sans
être bon juge en matière d'enfants, il lui avait paru normal au niveau de ses facultés mentales.

Se servant d'une spatule qu'elle avait offerte à sa
mère, elle servit à M. Planchet une portion fumante de
cheddar accompagné d'œufs, de tomates et de poivrons
verts. Il examina son assiette avec suspicion.

— Goûtez, dit Margot. Vous m'avez bien fait manger
de la cervelle et des abats.

— C'était pour ton bien.

— J'étais enceinte, dit-elle.

Elle éprouva un soulagement étrange, en le disant,
même si cela lui faisait mal, aussi: elle avait été enceinte,
elle avait eu un enfant. Elle déposa une part d'œufs dans
l'assiette de Jamie.

— Merci, Margot, dit-il.

— Et regarde comme il est réussi, cet enfant! dit
M. Planchet. Il ne serait pas aussi beau si tu étais restée
en Amérique à manger des corn flakes et des bonbons.

– Les enfants s'accommodent parfaitement d'un régime végétarien, dit M. Tucker.

– J'en ai déjà vu, des enfants pareils, dit M. Planchet. Ils ont la peau grise, des bras maigres et de vilaines dents. Les enfants ont besoin de viande.

– Lauren est végétarienne, dit M. Tucker, et tous les regards se portèrent sur elle en train de mordre dans une tranche de bacon.

Lauren haussa les épaules.

– C'est vraiment bon, dit-elle.

– Vous voyez.

Clarissa fronçait les sourcils en piquant distraitement dans ses œufs.

– J'ai mis trop de fromage, dit-elle.

– Qu'est-ce que tu racontes, dit Jamie. Ils sont exactement comme ceux de maman.

Margot regarda son père qui considérait son assiette en silence.

Probablement pensait-il qu'Yvette ne cuisinerait plus jamais pour eux.

– Il en reste, de ce machin? demanda M. Planchet en levant son verre de bloody mary vide.

– Oh, le champagne! dit Clarissa en quittant précipitamment la table.

Margot regarda sa sœur partir, repoussa sa chaise et la suivit.

— Je vais m'occuper des verres, dit-elle pour s'excuser sans que personne n'y prêtât attention.

Debout près de l'évier de la cuisine, la tête baissée, Clarissa avait une main posée sur le filet métallique du bouchon d'une bouteille de champagne et l'autre sur les yeux. Margot vint se placer près de sa sœur. Elle ne fit aucun geste vers elle, incapable de dire quoi que ce soit. Clarissa leva finalement la tête, les yeux rougis.

— Tu trouves ça dur, parfois, d'être ici? murmura Clarissa. Tu trouves ça dur? Pas seulement parce qu'elle n'est plus là?

Margot attendit un moment, hocha la tête.

— Ce serait dur d'être ailleurs, de toute façon, ajouta Clarissa.

Margot approuva de la tête, à nouveau.

— Oh, dit Clarissa dans un soupir douloureux. Tu étais au courant, à propos de Tee Jee? demanda-t-elle brusquement. Et de Jamie?

Margot fut tentée d'éluder la question, de faire comme si elle faisait allusion au coup de crayon dans la main, mais elle s'entendit répondre:

— Oui, je sais.

Leur père entra dans la cuisine, les regarda.

— Coucou, papa, dit Clarissa la voix brisée, avec un petit sourire penaud. J'arrive.

Puis Tee Jee apparut dans l'encoignure de la porte et

les considéra, l'air interrogateur, derrière Teddy. Margot fut frappée de voir combien il leur ressemblait, à tous. Le prénom de leur père, l'enfant d'Abby, le fils de Jamie : on veut que les familles se perpétuent pourtant Margot n'était pas certaine qu'elles doivent se retrouver à ce point condensées dans un seul enfant.

Depuis l'autre pièce, Jamie proposa un toast mais ses paroles étaient étouffées.

– Attends le champagne, lui cria Clarissa.

– Où est-il ? répondit Jamie, entrant à son tour dans la cuisine.

Il s'immobilisa en les voyant tous là, debout, ses sœurs, son père, son fils.

Ceux qui restaient dans la salle à manger n'attendirent pas. Des voix chaleureuses, un tintement de porcelaine retentirent tandis qu'ils trinquaient avec leurs tasses de café – à quoi Jamie avait-il voulu trinquer ? À Yvette, à la famille, au siècle qui allait débuter ? Ou aux cuisinières, au patriarche, à l'enfant, le descendant qui assurerait la pérennité de la famille – à eux qui étaient là, debout, silencieux, dans la cuisine, presque prêts à en ressortir ?

Remerciements

Je suis profondément reconnaissante envers
Nick Halpern, Michelle Latiolais
et Geoffrey Wolff.

Édition exclusivement réservée aux adhérents du Club
Le Grand Livre du Mois
15, rue des Sablons
75116 Paris
réalisée avec l'aimable autorisation des éditions de l'Olivier

Réalisation : PAO Éditions du Seuil
Achevé d'imprimer par Firmin-Didot
au Mesnil-sur-L'Estrée
Dépôt légal : mai 2006. (79170)
ISBN : 2-286-02291-7
Imprimé en France